*Ιούνιος, 1979: Σ' ένα υπερπολυτελές καζίνο στις Μπαχά-
μες, μια όμορφη, νέα γυναίκα συναντά ξανά τον άντρα που
εγκατέλειψε –και κατά βάθος δεν έπαψε ποτέ ν' αγαπά...*

Κάπως έτσι, με τον *Απαγορευμένο Παράδεισο* της Ann
Mather, τα Άρλεκιν μπήκαν στη ζωή μας. Και κάπως έ-
τσι, ξεκίνησε μια ιστορία αγάπης που κλείνει φέτος τα
τριάντα της χρόνια...

Τα Άρλεκιν, κομμάτι της μεγάλης οικογένειας της Har-
lequin, του κορυφαίου ονόματος στο χώρο της γυναι-
κείας λογοτεχνίας διεθνώς, έφεραν στη χώρα μας σε άρ-
τιες μεταφράσεις και προσεγμένη έκδοση την αφρόκρε-
μα της ρομαντικής πεζογραφίας: μυθιστορήματα που
εκδίδονται σε 29 γλώσσες και 107 χώρες, με την υπο-
γραφή των σημαντικότερων συγγραφέων του είδους,
που κυριαρχούν στις λίστες των μπεστ-σέλερ.

Από την πρώτη στιγμή, κέρδισαν την εμπιστοσύνη της
Ελληνίδας αναγνώστριας –και την καρδιά της. Έγιναν η
απόλαυση, η ξεκούρασή μας, η φυγή μας στο όνειρο.
Μας ταξίδεψαν σ' όλα τα μέρη της γης, μας συνάρπα-
σαν με ήρωες και ηρωίδες κάθε εποχής. Άλλαξαν μαζί
μας, παρακολουθώντας τα βήματα της σύγχρονης γυ-
ναίκας σε όλους τους τομείς, χωρίς ποτέ να πάψουν, ό-
πως κι εμείς, να πιστεύουν στο μεγάλο, αληθινό έρωτα.

Τριάντα χρόνια μετά και προσεγγίζοντας πλέον τους
7.500 τίτλους, τα Άρλεκιν γιορτάζουν μαζί σας. Σας ευ-
χαριστούν από καρδιάς γι' αυτές τις τρεις δεκαετίες
σταθερής προτίμησης, σας υπόσχονται ακόμα μεγαλύ-
τερες συγκινήσεις στο μέλλον. Και σας εύχονται χρόνια
πολλά, γεμάτα πάντα από το πολυτιμότερο δώρο της
ζωής: *την αγάπη.*

Σχέδιο γάμου

CATHY WILLIAMS

Μετάφραση: Βέρα Μιστράκη

ΧΑΡΛΕΝΙΚ ΕΛΛΑΣ
ΕΚΔΟΤΙΚΗ Α.Β.Ε.Ε.

Φειδίου 18, 106 78 Αθήνα
Τηλ.: 210. 3609 438 - 210. 3629 723
www.arlekin.gr

Τίτλος πρωτοτύπου:
Rafael's Suitable Bride

© 2009 ΧΑΡΛΕΝΙΚ ΕΛΛΑΣ ΕΚΔΟΤΙΚΗ ΑΒΕΕ
για την ελληνική γλώσσα, κατόπιν συμφωνίας με
τη HARLEQUIN ENTERPRISES II B.V. / S.à.r.l.

ISSN 1106-613X

Μετάφραση: Βέρα Μιστράκη
Επιμέλεια: Μαρίνα Τσαμουρά
Διόρθωση: Σάια Μινασίδου

ΧΡΥΣΑ ΑΡΛΕΚΙΝ Special - ΤΕΥΧΟΣ 209
Τυπώθηκε και βιβλιοδετήθηκε στην Ελλάδα.
Made and printed in Greece.

ΚΕΦΑΛΑΙΟ 1

Μ όλο που η ημέρα ήταν από κείνες που όλοι οι λογικοί άνθρωποι αποφεύγουν τους δρόμους, ο Ραφαέλ Ρότσι επέλεξε να χρησιμοποιήσει τη Φεράρι του αντί για την ασφάλεια και την άνεση του τρένου. Μια που σπάνια του δινόταν η ευκαιρία να την οδηγήσει, θεώρησε ότι ήταν η ιδανική περίπτωση για να απολαύσει τις δυνατότητες του καταπληκτικού αυτοκινήτου που, φροντισμένο στην εντέλεια από τον προσωπικό του οδηγό τον Τόμας, τον περίμενε στο γκαράζ του Λονδίνου.

Έτσι κι αλλιώς, η διαδρομή μέχρι το σπίτι της μητέρας του στο Λέικ Ντίστρικτ ήταν στρωτή, οπότε θα είχε τη δυνατότητα να τρέξει την υπερσύγχρονη Φεράρι χωρίς κανέναν κίνδυνο. Η αίσθηση της ελευθερίας που του εξασφάλιζε η οδήγησή της ήταν κάτι που το είχε απόλυτη ανάγκη μετά το πειθαρχημένο καθημερινό πρόγραμμά του. Κι αυτό επειδή η διοίκηση της αυτοκρατορίας των Ρότσι, την οποία είχε αναλάβει εξ ολοκλήρου μετά το θάνατο του πατέρα του οκτώ χρόνια πριν, δεν ήταν καθόλου εύκολη υπόθεση. Γεμάτη συγκινήσεις και προκλήσεις σίγουρα. Εύκολη όμως, όχι.

Το σπορ αυτοκίνητο έτρεχε σαν μανιασμένο θεριό καταπίνοντας άπληστα τα χιλιόμετρα. Απολαμβάνοντας τη σπάνια ευκαιρία που του δινόταν, ο Ραφαέλ έκλεισε το κινητό του και συγκεντρώθηκε στην κλασική μελωδία του CD, έχοντας πάντα την προσοχή που όφειλε στο δρόμο. Το χιόνι των προηγούμενων ημερών είχε καλύψει όλη τη χώρα και παρ' όλο που τις τελευταίες ώρες δεν είχε πέσει ούτε μια νιφάδα, τα χωράφια που συναντούσε καθώς κατευθυνόταν προς τα βόρεια, ήταν όλα κάτασπρα.

Όχι βέβαια πως πίστευε ότι κινδύνευε. Αντίθετα, η οδήγηση κάτω από προβληματικές συνθήκες που θα φόβιζε κάποιον άλλον, σ' εκείνον επιβεβαίωνε την ικανότητά του να παίρνει τον έλεγχο στα χέρια του. Έτσι ήταν σίγουρος ότι μπορούσε να κοντρολάρει τη Φεράρι με την ίδια επιδεξιότητα που τον χαρακτήριζε σε κάθε τομέα της ζωής του. Αυτός άλλωστε ήταν και ο λόγος που στην ηλικία των τριάντα έξι ετών τον ακολουθούσε η φήμη του πιο δημοφιλούς, δυναμικού και αδίστακτου εργένη στον κόσμο των επιχειρήσεων, που δικαιολογημένα προκαλούσε το δέος και το φόβο των αντιπάλων του.

Καμιά φορά σκεφτόταν πως και οι γυναίκες επίσης τον φοβούνταν κάπως, πράγμα που κατά βάθος του έδινε ευχαρίστηση. Λίγος φόβος δεν έβλαψε ποτέ κανέναν, αυτό ήταν το μότο του και το εφάρμοζε συστηματικά σε όλες τις σχέσεις του. Αν μπορεί δηλαδή να θεωρηθεί σχέση μια γνωριμία που δε διαρκούσε ποτέ πάνω από έξι μήνες, κάτι για το οποίο η μητέρα του τον επέπληττε συχνά. Αυτός μάλιστα ήταν και ο λόγος αυτής της «μικρής» γιορτής που εκείνη έδινε μετά τα Χριστούγεννα. Βέβαια είχε ισχυριστεί ότι το έκανε για να νιώσουν η ίδια και οι φίλοι της λίγο ευχάριστα μέσα στον μουντό και μελαγχολικό Φλεβάρη, αλλά πόσο «μικρή» μπορούσε να είναι μια συνάθροιση εκατό ατόμων;

Ήταν σαφές ότι η αγαπημένη του μητέρα προσπαθούσε να τον παντρολογήσει, αγνοώντας τις δικές του διαβεβαιώσεις ότι του άρεσε η ζωή του ακριβώς όπως ήταν. Ως παραδοσιακή Ιταλίδα, μολονότι είχε ζήσει στη γηραιά Αλβιόνα, πίστευε ότι ένας άντρας ανύπαντρος στην ηλικία του και χωρίς παιδιά, ήταν σίγουρα δυστυχής. Η ίδια είχε παντρευτεί στα είκοσι δύο της χρόνια και τον είχε φέρει στον κόσμο στα είκοσι πέντε. Το δίχως άλλο θα είχε φροντίσει να τον προικίσει και με κάμποσα αδέλφια, αν η μοίρα δεν της είχε στερήσει με τρόπο σκληρό αυτή τη δυνατότητα.

Η παρουσία του ήταν απαραίτητη. Ακριβώς έτσι του είχε

θέσει το θέμα όταν τον προσκάλεσε. Κάτι που ο Ραφαέλ δεν τόλμησε να το αμφισβητήσει, όσο ύποπτο κι αν του φάνηκε. Κι αυτό επειδή η μητέρα του ήταν το μόνο άτομο στον κόσμο το οποίο σεβόταν απεριόριστα. Έτσι έκανε ό,τι μπορούσε για να απολαύσει τη διαδρομή, μια και ήξερε ότι φτάνοντας στο πάρτι θα περνούσε αμέτρητες ώρες απίστευτης βαρεμάρας ανάμεσα στις συμπαθητικές αλλά συνηθισμένες νεαρές φίλες της μητέρας του, με τις οποίες υποτίθεται ότι όφειλε να έχει κοινά ενδιαφέροντα. Διότι η αγαπημένη του μητέρα δε χώνεψε ποτέ το γεγονός ότι ο γιος της διάλεγε τις γυναίκες με βάση την εξωτερική τους εμφάνιση. Με προτίμηση στις ξανθές και καλλίγραμμες, που τις θεωρούσε και απολύτως αναλώσιμες.

Απορροφημένος από τις σκέψεις του, ο Ραφαέλ άργησε να αντιληφθεί το μικρό αυτοκίνητο που είχε σταματήσει στην άκρη του δρόμου. Το είδε την τελευταία στιγμή καθώς έστριβε στο δεντροφυτεμένο καλντερίμι που οδηγούσε στην έπαυλη της μητέρας του. Μέσα στην αγωνία του φρέναρε τόσο απότομα που τα λάστιχα της Φεράρι στρίγκλισαν. Η ουσία πάντως ήταν ότι κατάφερε να τη σταματήσει ελάχιστα μόλις εκατοστά μακριά από το αβοήθητο και εγκαταλειμμένο Μίνι.

Έχοντας χάσει εντελώς την καλή του διάθεση, ένιωσε να φλέγεται από την επιθυμία να βρει τον οδηγό του Μίνι για να ξεσπάσει πάνω του την εντελώς δικαιολογημένη οργή του. Και τον βρήκε. Το διαπίστωσε όταν είδε ένα κεφάλι να προβάλει από την άλλη πλευρά του αυτοκινήτου και να τον κοιτάζει ξαφνιασμένο. Ο οδηγός ήταν γυναίκα. Έπρεπε να το είχε φανταστεί.

«Τι στο καλό συμβαίνει; Χτύπησες;» τη ρώτησε με ύφος απότομο, προσπαθώντας να ελέγξει τα τεντωμένα νεύρα του.

Η γυναίκα δεν του απάντησε. Συνέχισε μόνο να τον κοιτάζει επιφυλακτικά.

«Λοιπόν;» επέμεινε ο Ραφαέλ, αλλά η σκέψη ότι θα ήταν φρόνιμο να απομακρύνει το αυτοκίνητό του από τη στροφή διότι όσο κι αν ο δρόμος ήταν ιδιωτικός δεν υπήρχε λόγος να το ρισκάρει, τον υποχρέωσε να αλλάξει ύφος. «Πρέπει να μετακινήσω το αυτοκίνητό μου», ενημέρωσε την άγνωστη που τον παρατηρούσε εντελώς βουβή.

Η διαδικασία της μετακίνησης της Φεράρι τού πήρε ελάχιστο χρόνο. Όταν εμφανίστηκε όμως ξανά, η γυναίκα είχε εξαφανιστεί, αναγκάζοντάς τον να την αναζητήσει από την άλλη μεριά του Μίνι. Τη βρήκε γονατιστή να ψάχνει κάτι πάνω στον χιονισμένο δρόμο με τη βοήθεια της μικρής λάμψης από το φωτάκι του κινητού της.

«Συγνώμη», του είπε μόλις τον είδε, ανασηκώνοντας ελάχιστα το κεφάλι προς το μέρος του. «Ειλικρινά λυπάμαι που σε τρόμαξα. Χτύπησες;»

Βλέποντάς τη μετά απ' αυτή τη σύντομη απολογία να επιστρέφει απτόητη στο ψάξιμο, ο Ραφαέλ δεν μπόρεσε να συγκρατηθεί. «Έχεις ιδέα πόσο επικίνδυνο είναι να αφήνεις το αυτοκίνητό σου πάνω στη στροφή;» της υπέδειξε αυστηρά.

«Προσπάθησα να το μετακινήσω, αλλά τα λάστιχα γλιστρούσαν», απάντησε εκείνη και παρατώντας αυτό που έψαχνε με το κινητό της, σηκώθηκε όρθια δαγκώνοντας νευρικά τα χείλη της.

Ο Ραφαέλ υπολόγισε ότι εκείνη ήταν γύρω στο ένα και εξήντα οκτώ. Κοντολογίς, η άγνωστη ήταν κοντή και άχαρη, πράγμα που χειροτέρεψε ακόμα περισσότερο τη διάθεσή του. Γιατί αν ήταν όμορφη και καλλίγραμμη, η υπόθεση θα μπορούσε να εξελιχθεί διαφορετικά. Όπως είχαν τα πράγματα όμως, το μόνο που ένιωθε ήταν εκνευρισμός και ενόχληση.

«Οπότε αποφάσισες να το παρατήσεις εκεί αδιαφορώντας για τον κίνδυνο που θα αντιμετώπιζε όποιος τύχαινε να στρίψει», της επιτέθηκε έτοιμος να εκραγεί, δεδομένου ότι δε διακρινόταν και τόσο για την υπομονή του. «Άρχισες να ψάχνεις με την ησυχία σου...»

«Δεν έψαχνα χωρίς λόγο», διαμαρτυρήθηκε η άγνωστη. «Ξαφνικά ένιωσα πολύ κουρασμένη και έτριψα τα μάτια μου για να συνέλθω. Αλλά τότε μου έπεσε ο ένας από τους φακούς επαφής που φοράω. Βλέπεις, οδηγώ από το πρωί. Απέφυγα να έρθω από το Λονδίνο με το τρένο, επειδή ήξερα ότι θα φύγω αύριο πολύ νωρίς και το θεώρησα ανάγωγο να υποχρεώσω κάποιον να με πάει από τα ξημερώματα στο σταθμό. Με όλα αυτά δε σας είπα ακόμα ούτε ένα γεια», κατέληξε με φυσικότητα καθώς έτεινε προς το μέρος του Ραφαέλ το μικρό της χέρι.

Είναι ο πιο όμορφος άντρας που γνώρισα ποτέ, συλλογιζόταν την ίδια στιγμή. Ίδιος μ' εκείνους που φιγουράρουν στα εξώφυλλα των περιοδικών. Έχει μπόι πάνω από ένα κι ενενήντα, μαύρα μαλλιά σαν τον έβενο και ένα τέλειο πρόσωπο. Μόνο που φαντάζει κάπως αυστηρό, ολοκλήρωσε το συλλογισμό της με ένα ανάλαφρο χαμόγελο, αγνοώντας με μεγαλοθυμία την αντιπάθεια που καθρεφτιζόταν στα μάτια του.

Ο Ραφαέλ όμως δεν έδειξε καμία διάθεση να πιάσει το απλωμένο της χέρι. «Θα μετακινήσω το αυτοκίνητό σου σε μια ακίνδυνη θέση», είπε σκυθρωπός, «και στη συνέχεια σε συμβουλεύω να έρθεις μαζί μου. Γιατί υποθέτω ότι πηγαίνουμε στο ίδιο μέρος, μιας και δεν υπάρχει παρά μόνο ένα σπίτι στο τέλος του συγκεκριμένου δρόμου».

«Δε χρειάζεται να σε βάλω σε κόπο», είπε λίγο αιφνιδιασμένη εκείνη.

«Πράγματι δε χρειάζεται», συμφώνησε πρόθυμα ο Ραφαέλ, «αλλά δε θέλω να έχω βάρος στη συνείδησή μου ότι σε άφησα να οδηγήσεις χωρίς τον δεύτερο φακό σου».

Ήταν αποτελεσματικός και γρήγορος. Τόσο που κέρδισε το θαυμασμό της καθώς τον παρακολουθούσε να κάνει με φοβερή επιδεξιότητα αυτό που μάταια προσπαθούσε η ίδια να πετύχει την τελευταία μισή ώρα.

«Τα κατάφερες τέλεια», του είπε όταν εκείνος γύρισε κοντά της.

Μπροστά στην τόσο αφοπλιστική και ανεπιτήδευτη ειλικρίνειά της, ο Ραφαέλ αισθάνθηκε το θυμό του να μαλακώνει κάπως. «Κάθε άλλο παρά τέλεια», μουρμούρισε, «αλλά τουλάχιστον τώρα το σαράβαλό σου είναι σε πολύ πιο ασφαλές σημείο».

«Πάντως δεν έχω πρόβλημα να οδηγήσω», του εξήγησε με εντιμότητα η Κριστίνα. «Θέλω να πω ότι έχω πάντα στην τσάντα μου ένα ζευγάρι γυαλιά για την περίπτωση που οι φακοί με κουράζουν. Εσύ φοράς φακούς»;

«Ορίστε;»

«Τίποτα», μουρμούρισε αμήχανη η Κριστίνα, νιώθοντας να χαλάει η διάθεσή της στη σκέψη τού πόσο χάλια θα ήταν η εμφάνισή της.

«Λοιπόν;» Ο Ραφαέλ που είχε στο μεταξύ μπει ξανά στο αυτοκίνητό του, την κοιτούσε τώρα ερωτηματικά, κρατώντας ανοικτή την πόρτα του συνοδηγού.

Ρίχνοντας μια ματιά στον χιονισμένο δρόμο, η Κριστίνα προχώρησε διστακτικά προς το μέρος του, καθώς ο άνεμος που της βίτσιζε το πρόσωπο της θύμισε πως σύντομα θα ακολουθούσε νέα χιονόπτωση.

«Είναι που...» Τυλίγοντας τα χέρια της γύρω από το κορμί της, έβαλε τα δυνατά της να τον κάνει να κατανοήσει τη θέση της. «Όπως βλέπεις, τα ρούχα μου είναι για κλάματα. Δε γίνεται να παρουσιαστώ έτσι στη δεξίωση».

Βέβαια, η Μαρία, η οικοδέσποινα που την είχε προσκαλέσει, ήταν μια εξαιρετική κυρία. Η Κριστίνα την είχε γνωρίσει στην Ιταλία, όταν ακόμα ζούσε εκεί με τους γονείς της πριν μετακομίσει στο Λονδίνο. Δεν την ήξερε όμως αρκετά ώστε να μπορεί να υπολογίζει στη βοήθειά της προκειμένου να διορθώσει την εμφάνισή της. Πώς θα μπορούσε, λοιπόν, να εμφανιστεί για πρώτη φορά σε ένα ξένο σπίτι με βρόμικα χέρια, σχισμένο καλσόν, μπερδεμένα μαλλιά και... Καλά, τα μαλλιά μπορούσε να τα αφήσει απέξω μια και τον περισσότερο καιρό ήταν έτσι κι αλλιώς ατημέλητα.

«Παράτα τις ανοησίες». Το στυφό σχόλιο του Ραφαέλ διέκοψε τις σκέψεις της. «Έχω ήδη παγώσει αρκετά. Δε σκοπεύω να παγώσω κι άλλο, ακούγοντας παράπονα για την εμφάνισή σου». Από καθαρή ευγένεια και μόνο απέφυγε να προσθέσει ότι κατά τη γνώμη του το θέμα δε σήκωνε βελτίωση, γιατί το στρουμπουλό σώμα της δε γινόταν να λεπτύνει με τρόπο μαγικό.

Μόνο επειδή την έβλεπε να συνεχίζει να παραμένει αναποφάσιστη, με μια έκφραση αγωνίας στο πρόσωπό της και επειδή ο ίδιος κρύωνε όλο και περισσότερο, νιώθοντας την υπομονή του να εξαντλείται, αποφάσισε να δώσει μια λύση στο πρόβλημά της.

«Πάρε τα πράγματά σου από το αυτοκίνητο κι εγώ θα σε βάλω στο σπίτι από την πίσω πόρτα. Εκεί θα βρούμε ένα δωμάτιο για να κάνεις ό,τι νομίζεις πως πρέπει», της δήλωσε ξερά.

«Αλήθεια;». Ακούγοντάς τον η Κριστίνα ένιωσε αμέσως να γοητεύεται μαζί του. Η ταχύτητα και η άνεση με την οποία ο ωραίος ξένος είχε βρει τον τρόπο να τη βοηθήσει... Γεγονός πάντως ήταν ότι δεν έδειχνε στο ελάχιστο κάποιο προσωπικό ενδιαφέρον απέναντί της, όσο για συμπάθεια ούτε λόγος, αναγνώρισε καθώς έβγαζε από το πίσω κάθισμα του Μίνι το σακ βουαγιάζ που είχε φέρει μαζί της. Αλλά με το δίκιο του ο άνθρωπος! Τον είχε λαχταρήσει για τα καλά όταν πήρε τη στροφή και βρέθηκε μπροστά στο αυτοκίνητό της. Φοβήθηκε ότι θα το έκανε λιώμα με τη δυναμική Φεράρι του.

«Βιάσου». Ρίχνοντας μια ματιά στο ρολόι του, ο Ραφαέλ υπολόγισε ότι το πάρτι θα είχε ήδη αρχίσει κι εκείνος είχε υποσχεθεί στη μητέρα του ότι θα έφτανε από τους πρώτους. Τα γεγονότα όμως είχαν ανατρέψει στις καλές του προθέσεις.

«Είσαι πολύ ευγενικός».

Ακούγοντας το σχόλιο της Κριστίνα όταν της πήρε το σακ βουαγιάζ από το χέρι για να το τακτοποιήσει στο υπερβολικά μικρό πορτμπαγκάζ της Φεράρι, ο Ραφαέλ προσπάθησε να θυμηθεί πότε ήταν η τελευταία φορά που τον είχαν αποκαλέσει έτσι. Τελικά αποφάσισε ότι δεν τον ενδιέφερε και ανασηκώνοντας τους ώμους, επέστρεψε στη θέση του οδηγού και άναψε την πανίσχυρη μηχανή του αυτοκινήτου του.

«Πώς θα βρεις το δρόμο για την πίσω πόρτα της έπαυλης;»

Δεν έχει ιδέα ποιος είμαι. Η διαπίστωση ήταν σαν αστροπελέκι. Κι αυτό επειδή είχε συνηθίσει οι γυναίκες να τον αναγνωρίζουν από τα περιοδικά και να τον αντιμετωπίζουν από την αρχή με ερωτική διάθεση, εμπνεόμενες προφανώς από την περιουσία του που δρούσε πάνω τους λίγο πολύ σαν αφροδισιακό. Αυτό στην αρχή τον διασκέδαζε, σύντομα όμως γινόταν κουραστικό και βαρετό...

«Η αλήθεια είναι ότι δε μου είπες ποια είσαι», σχολίασε, αλλάζοντας θέμα και τότε την είδε με την άκρη του ματιού του να κοκκινίζει.

«Με λένε Κριστίνα. Θεέ μου, είμαι απαράδεκτα αγενής! Εσύ κυριολεκτικά με έσωσες ως από μηχανής Θεός κι εγώ δε σου είπα ούτε το όνομά μου!» Θα έλεγε κι άλλα, αλλά ευτυχώς συνειδητοποίησε έγκαιρα ότι στην ηλικία των είκοσι τεσσάρων όφειλε να συμπεριφέρεται με μεγαλύτερη αυτοσυγκράτηση. Και τότε σώπασε.

Αν και στην πραγματικότητα κάθε της προσπάθεια να δείχνει επιτηδευμένη και αριστοκρατική σκόνταφτε συνεχώς πάνω στον χαρούμενο και ανοιχτόκαρδο χαρακτήρα της. Μέχρι τώρα είχε γνωρίσει κάμποσους άντρες· άλλους στην Ιταλία όταν ζούσε με τους γονείς της και άλλους στο Σόμερσετ, στο σπίτι της θείας της όταν φοιτούσε εσωτερική στο κολέγιο. Οι ερωτικές εμπειρίες της όμως ήταν ελάχιστες· για την ακρίβεια σχεδόν ανύπαρκτες, με αποτέλεσμα να μην έχει το κυνικό ύφος και την άνεση που διέθεταν οι έμπειρες γυναίκες της ηλικίας της. Αντίθετα, αυτό που τη χαρακτήριζε ήταν μια βαθιά πίστη για τις καλές προθέσεις των ανθρώπων. Γι' αυτό ούτε που της πέρασε στιγμή από το μυαλό να κρίνει αρνητικά τον απότομο τρόπο του Ραφαέλ.

«Εσένα πώς σε λένε;» τον ρώτησε κοιτάζοντάς τον με ολοφάνερο θαυμασμό.

«Ραφαέλ».

«Και τι σχέση έχεις με τη Μαρία;»

«Γιατί ενδιαφέρεσαι τόσο πολύ για την εμφάνισή σου;» είπε ο Ραφαέλ αντί να απαντήσει στην ερώτησή της. «Γνωρίζεις κάποιον από τους καλεσμένους στο πάρτι;»

«Όχι, αλλά... καταλαβαίνεις. Δε θα αισθανόμουν όμορφα αν αναγκαζόμουν να εμφανιστώ με αχτένιστα μαλλιά και σχισμένο καλσόν». Χαμηλώνοντας τα μάτια στα χέρια της, η Κριστίνα βαριαναστέναξε. «Τα νύχια μου είναι δράμα. Και να φανταστείς ότι μόλις χθες έκανα μανικιούρ», μουρμούρισε, συγκρατώντας με δυσκολία τα δάκρυά της, όντας σίγουρη ότι εκείνος δε θα συγκινιόταν καθόλου βλέποντάς τη να βάζει τα κλάματα.

Ωστόσο κατά βάθος ένιωθε απίστευτα λυπημένη με την κακοτυχία της. Κυρίως επειδή είχε προσπαθήσει πάρα πολύ για να κάνει τα πράγματα σωστά αυτή τη φορά! Μέχρι τότε δε γνώριζε κανέναν στο Λονδίνο, γι' αυτό και η πρόσκληση της Μαρίας τής είχε φανεί ως η ιδανική ευκαιρία για να αποκτήσει κάποιες γνωριμίες. Έτσι, αφού περίμενε με ανυπομονησία να φτάσει η μέρα του πάρτι, όταν ήρθε η ευλογημένη στιγμή να ξεκινήσει για την έπαυλη της Μαρίας, είχε βάλει τα δυνατά της να φορέσει τα σωστά ρούχα. Γιατί η αλήθεια ήταν ότι παρά τη μητέρα της, παρά τις φιλότιμες προσπάθειές της να τη μεγαλώσει ανάλογα με την κοινωνική τους θέση, δεν τα είχε καταφέρει, όπως αναγνώριζε μέσα της με ένα έντονο αίσθημα ενοχής. Σε αντίθεση με τις μεγαλύτερες αδερφές της που, παντρεμένες τώρα πια και μητέρες, ήταν τέλειες σε όλες τις υποχρεώσεις τους και ταυτόχρονα ιδανικές οικοδέσποινες, με άψογη εμφάνιση και εκπληκτική σιλουέτα.

Το τελευταίο σημείο ήταν ακριβώς αυτό στο οποίο υστερούσε η ίδια. Από μικρή ήταν αγοροκόριτσο, δείχνοντας μεγαλύτερο ενδιαφέρον για το ποδόσφαιρο και τις πεζοπορίες σε πάρκα και κήπους παρά για τα μοντέρνα ρούχα, το κατάλληλο μακιγιάζ και άλλα κοριτσίστικα θέματα. Μεγαλώνοντας η κατάσταση είχε χειροτερέψει εξαιτίας της αγάπης που είχε αναπτύξει για τη φύση. Όταν πια άρχισε να ακολουθεί τον κηπουρό τους κατά πόδας και να τον μουρλαίνει στις ερωτήσεις για τα φυτά, η μητέρα της απογοητεύτηκε για τα καλά, οπότε και παραιτήθηκε οριστικά από το όνειρο ότι θα τη μεταμόρφωνε κάποτε σε μια κομψή και φινετσάτη νεαρή κυρία.

Ποιο ήταν όμως το αποτέλεσμα αυτής της φοβερής προσπάθειάς της να έχει άψογη εμφάνιση στο πάρτι; Να τρέμει τώρα κυριολεκτικά για την κατάσταση του φορέματός της!

«Ήταν μεγάλη μου ανοησία να αρχίσω να ψάχνω το φακό

μου μέσα στο στενό μονοπάτι», παραδέχτηκε κακόκεφα στον Ραφαέλ.

«Ιδιαίτερα από τη στιγμή που ήταν καλυμμένο με χιόνι!» υπερθεμάτισε ζωηρά εκείνος.

«Σωστά». Η Κριστίνα κοίταξε τα γόνατά της. «Το καλσόν μου έχει σκιστεί σε χίλιες μεριές. Και δεν έχω φέρει άλλο μαζί μου. Μήπως τυχαίνει να έχεις εσύ;»

Ο Ραφαέλ της έριξε μια λοξή ματιά. Αλλά το χαμόγελό της του επιβεβαίωσε την υποψία του. Η νεαρή φίλη της μητέρας του διέθετε πολύ χιούμορ και μια επιμονή να μένει ανεπηρέαστη από τη δική του άρνηση να μιλάνε συνεχώς για την εμφάνισή της στην υπόλοιπη διαδρομή.

«Δεν είναι από τα πράγματα που κουβαλώ συνήθως», της απάντησε σοβαρός, κάνοντας κι εκείνος χιούμορ με τον δικό του τρόπο. «Αλλά φαντάζομαι πως η Μαρία...»

«Σίγουρα η Μαρία θα έχει πολλά, αλλά αποκλείεται να μου κάνουν τα δικά της». Η Κριστίνα κούνησε πέρα δώθε το κεφάλι της με φανερή απογοήτευση. «Βλέπεις, εκείνη είναι λεπτή και ψηλή, ενώ εγώ πήρα το σώμα του πατέρα μου. Σε αντίθεση με τις δυο αδελφές μου που είναι ψηλόλιγνες σαν μανεκέν».

«Κι αυτό σε κάνει να ζηλεύεις;»

Η ερώτηση του ξέφυγε πριν προλάβει να τη συγκρατήσει.

Αλλά η Κριστίνα αντέδρασε με ένα γάργαρο γέλιο που δε θύμιζε καθόλου το κομψό, συγκρατημένο και αθόρυβο ξενέρωτο γελάκι με το οποίο εκδήλωναν τον ενθουσιασμό τους οι κοπέλες του κύκλου του.

«Σίγουρα όχι», τον διαβεβαίωσε μόλις σοβαρεύτηκε. «Τις λατρεύω, αλλά από την άλλη δε θα άλλαζα με τίποτα τη ζωή μου με τη δική τους. Έχουν συνολικά πέντε παιδιά και αμέτρητες κοινωνικές υποχρεώσεις. Δίνουν συνεχώς δεξιώσεις και εμφανίζονται σε όλες τις παραστάσεις της Όπερας. Βλέπεις, έχουν παντρευτεί επιχειρηματίες, με αποτέλεσμα να βρίσκονται συνεχώς στο προσκήνιο. Μπορείς να το φανταστείς ότι δεν τολμούν να βγουν ούτε μέχρι την πόρτα του σπιτιού τους αμακιγιάριστες και απεριποίητες;»

Δεδομένου ότι οι κοπέλες με τις οποίες κυκλοφορούσε ο ίδιος δεν έμπαιναν ούτε στην κρεβατοκάμαρα απεριποίητες και α-μακιγιάριστες, ο Ραφαέλ μπορούσε να το φανταστεί μια χαρά.

Στο μεταξύ είχαν φτάσει στο τέλος του μονοπατιού. Στο βάθος πρόβαλε η επιβλητική έπαυλη με τους κιτρινωπούς πέτρινους τοίχους, τις αμέτρητες καμινάδες και τον τεράστιο ολάνθιστο μπροστινό κήπο, που τώρα ήταν γεμάτος αυτοκίνητα. Ακόμα και μέσα στο σκοτάδι, ήταν τόσο εντυπωσιακή, που ο Ραφαέλ περίμενε μια μικρή εκδήλωση, ένα επιφώνημα... κάτι τέλος πάντων από τη μεριά της συνταξιδιώτισσάς του.

Αλλά μάταια. Πράγμα που του προκάλεσε μια αναπάντεχα ευχάριστη έκπληξη, καθώς είχε συνηθίσει να δέχεται σχόλια απροσμέτρητου θαυμασμού για το σπίτι της μητέρας του. Κυρίως από τις κατά καιρούς αγαπημένες του που είχε τύχει να διαβούν το κατώφλι της έπαυλης. Μόλις το τεράστιο σπίτι άρχιζε να διαγράφεται από μακριά, έδειχναν να τα χάνουν μπροστά στη μεγαλόπρεπη ομορφιά του.

Όχι όμως και η νεαρή καλεσμένη της μητέρας του. Ξαφνιασμένος από τη σιωπή της, στράφηκε προς το μέρος της και τότε την είδε να εξετάζει γεμάτη νευρικότητα το φόρεμά της.

«Πολλά αυτοκίνητα», παρατήρησε λακωνικά η Κριστίνα. «Θα έλεγα πως η προσέλευση είναι κάτι παραπάνω από αθρόα, αν υπολογίσεις τον καιρό», κατέληξε λίγο ανήσυχη, μια και οι μεγάλες δεξιώσεις συνήθως της προκαλούσαν ασφυξία.

«Φταίει που οι ντόπιοι είναι σκληρόπετσοι», σχολίασε ξερά ο Ραφαέλ. «Σε αντίθεση με τους Λονδρέζους που είναι πιο ντελικάτοι».

«Εδώ μένεις;»

Αντί για άλλη απάντηση, ο Ραφαέλ κούνησε αόριστα το κεφάλι του, στρίβοντας ταυτόχρονα τη Φεράρι δεξιά, προκειμένου να μπει στον εσωτερικό παράδρομο που έβγαζε στην πίσω αυλή.

«Το ήξερα». Η Κριστίνα κούνησε με έμφαση το κεφάλι.

«Εννοώ ότι μένεις εδώ. Διότι μόνο έτσι εξηγούνται όλες αυτές οι λεπτομέρειες που γνωρίζεις για...» Η φωνή της έσβησε καθώς την απορρόφησε ξανά η έγνοια για το πώς θα εμφανιζόταν ευπαρουσίαστη μπροστά στους καλεσμένους και κυρίως μπροστά στην οικοδέσποινα που είχε την καλοσύνη να την καλέσει. Γιατί μπορεί να μη διέθετε το στιλ και τη φινέτσα που είχαν οι αδερφές της, αλλά σε καμία περίπτωση δεν ήθελε να φέρει σε δύσκολη θέση την ευγενική φίλη των γονιών της.

Φτάνοντας ωστόσο μπροστά στην πόρτα υπηρεσίας, πήρε μια βαθιά ανάσα ανακουφισμένη που τριγύρω δε φαινόταν κανείς για να δει τα χάλια της, εκτός από τα λιγοστά άτομα που ανήκαν στο προσωπικό.

Πριν μπουν στο σπίτι, ο Ραφαέλ κοντοστάθηκε μπροστά στο κατώφλι της εισόδου υπηρεσίας.

«Υποθέτω ότι θα πρέπει πια να σου πω ότι είμαι ο γιος της Μαρίας», της ανακοίνωσε ήρεμα.

«Αλήθεια;» Η Κριστίνα έμεινε για μια στιγμή να τον κοιτάζει σιωπηλή. Ώσπου αποφάσισε ότι οι καλοί άνθρωποι σαν τη Μαρία μπορούσαν να έχουν μόνο καλά παιδιά και τότε του χάρισε ένα πλατύ χαμόγελο, βέβαιη πια ότι παρά την αρχική απότομη συμπεριφορά του, ήταν τόσο καλός και συμπονετικός όσο είχε διακρίνει μόλις τον πρωτοείδε. «Η μητέρα σου είναι ένας υπέροχος άνθρωπος», του ανακοίνωσε ήρεμα, στρέφοντας ταυτόχρονα την προσοχή της στον άντρα που είχε σπεύσει ήδη στη Φεράρι για να παραλάβει τις αποσκευές τους από το πορτμπαγκάζ.

Βλέποντάς τον και ο Ραφαέλ, κατάλαβε αμέσως τι είχε συμβεί. Προφανώς η μητέρα του, απογοητευμένη με την καθυστέρησή του, είχε στείλει τον πιστό της οικονόμο για να βοηθήσει τον αργοπορημένο —αλλά όχι και άσωτο— υιό, ώστε να εμφανιστεί στη σάλα όσο το δυνατόν συντομότερα. Η παρουσία του Έρικ, όμως, ανέτρεπε το δικό του σχέδιο να οδηγήσει την Κριστίνα σε κάποιον από τους ξενώνες χωρίς να γίνει αντιληπτός από κανέναν. Από την άλλη βέβαια, τον προφύλασσε από τον κίνδυνο να εισβάλει σε κάποιο δωμάτιο που θα ήταν ήδη κατειλημμένο.

Άρα η μόνη λύση τώρα πια ήταν να ζητήσει τη βοήθεια του Έρικ που ζούσε στο σπίτι τους από τότε που ο ίδιος θυμόταν τον εαυτό του. Κι αυτό έκανε. Αφού αντάλλαξε μερικές κουβέντες μαζί του, έκανε νόημα στην Κριστίνα να τον ακολουθήσει.

Μόλις όμως έφτασαν στον κεντρικό διάδρομο του σπιτιού και στάθηκαν κάτω από τα δυνατά φώτα, δέχτηκε μια απίστευτα μεγάλη έκπληξη, διαπιστώνοντας ότι εκείνη δεν ήταν τόσο ασήμαντη όσο πίστευε μέχρι τότε.

Όχι φυσικά ότι θα μπορούσε κανείς να την αποκαλέσει όμορφη. Αλλά φάνταζε τόσο... Ο Ραφαέλ προσπάθησε να βρει το κατάλληλο επίθετο για να την περιγράψει σωστά, αλλά δεν του ερχόταν τίποτα. Τελικά κατέληξε ότι αν και φαινόταν δυναμική, δείχνοντας θέληση να υπερασπιστεί τον ζωτικό της χώρο, δεν ήταν καθόλου επιθετική. Αντίθετα, το βλέμμα της ήταν ειλικρινές και ζεστό, και παρ' όλο που τώρα έδειχνε ανησυχία, ήταν σίγουρος ότι γελούσε πολύ εύκολα.

Και έχει δυο λαμπερά, πανέμορφα, τεράστια καστανά μάτια, σκέφτηκε αυθόρμητα. Ίδια μ' εκείνα του κουταβιού ράτσας σπάνιελ που είχα παιδί.

Στην πραγματικότητα δεν ήταν παρά ένα ανθρώπινο κουτάβι ράτσας σπάνιελ, του υπέδειξε η αιχμηρή και γυμνή από κάθε συναισθηματική αδυναμία λογική του. Κοντολογίς, ανήκε στο είδος των ανθρώπων που εκείνος περιφρονούσε. Γι' αυτό θα φρόντιζε να την ξεφορτωθεί το συντομότερο. Αφού βέβαια προηγουμένως τη βοηθούσε να λύσει το πρόβλημά της, ως σωστός και φιλόξενος οικοδεσπότης.

«Ακολούθησέ με».

Αδιαφορώντας για τον κοφτό και παγερό τόνο της φωνής του, η Κριστίνα συμμορφώθηκε στη στιγμή. Αφού πέρασαν πλάι πλάι μέσα από κάμποσους διαδρόμους, έφτασαν σε μια πτέρυγα του σπιτιού όπου οι μουσικές, τα γέλια και το χαρωπό κουβεντολόι της σάλας ακούγονταν αχνά, σαν απόμακρος αντίλαλος.

Και δικαιολογημένα. Διότι η έπαυλη ήταν τεράστια, γι' αυτό και ο Ραφαέλ είχε συμβουλεύσει τη μητέρα του να την πουλήσει όταν έμεινε χήρα. Αλλά εκείνη ούτε που ήθελε να συζητήσει την πρότασή του.

«Δεν είμαι ακόμα ανίκανη, Ράφι· ίσως να το ξανασκεφτώ σε περίπτωση που χρειαστώ ειδική σκάλα για να ανεβαίνω στα υπνοδωμάτια». Αυτή ακριβώς ήταν η απάντησή της. Έτσι κι εκείνος το είχε πάρει απόφαση ότι η έπαυλη θα έμενε για πάντα στην κατοχή της οικογένειας, προορισμένη να φιλοξενεί τους συγγενείς και τους φίλους τής σφύζουσας από ενεργητικότητα και λαχτάρα για ζωή μητέρας του, οι οποίοι έρχονταν από την Ιταλία καθ' όλη τη διάρκεια του χρόνου.

Ουφ! Μόλις κατάφερε επιτέλους να οδηγήσει απαρατήρητος την Κριστίνα σε ένα από τα πιο απομακρυσμένα, ελεύθερα δωμάτια που του είχε υποδείξει ο Έρικ και να κλείσει την πόρτα πίσω τους, ο Ραφαέλ ξεφύσηξε νοερά. Αλλά όταν γύρεψε γεμάτος ανακούφιση το δικό της βλέμμα, την είδε να τον κοιτάζει με παράπονο και αγωνία.

«Τι είναι πάλι;» αναφώνησε απηυδισμένος, καρφώνοντάς τη με το βλέμμα του. «Τι άλλο θέλεις;»

Η Κριστίνα κοκκίνισε αμέσως βλέποντας την αγανάκτησή του.

«Το ξέρω πως σου έγινα φόρτωμα...» μουρμούρισε απολογητικά. «Μη φανταστείς ότι δεν έχω επίγνωση της κατάστασης...» Η σκέψη πως ένας οικοδεσπότης με τη δική του εμφάνιση, που θα έπρεπε αυτή τη στιγμή να γοητεύει όλες τις καλλονές στο πάρτι, έχανε το χρόνο του με μια χοντρούλα είκοσι τεσσάρων χρονών, εντελώς άπειρη στο φλερτ και τους κανόνες επικοινωνίας αρσενικού θηλυκού, την τάραξε. «Έχω κάνει αμέτρητες δίαιτες», δήλωσε εντελώς ασυνάρτητα στον Ραφαέλ, σπάζοντας την ενοχλητική σιωπή που είχε απλωθεί στο μεταξύ ανάμεσά τους. «Δε θα πίστευες τον συνολικό αριθμό τους, αλλά σου το εξήγησα ήδη. Έχω κληρονομήσει το σώμα του πατέρα μου...» κατέληξε γελώντας αμήχανη και μετά σώπασε.

Η σιωπή της έδωσε στον Ραφαέλ την ευκαιρία να της αποκαλύψει αυτό που είχε μόλις αντιληφθεί.

«Το φόρεμά σου... Νομίζω ότι έχει λιγάκι σχιστεί...»

«Αλήθεια; Όχι... να πάρει! Πού;»

Πριν προλάβει η Κριστίνα να κάνει την παραμικρή κίνηση, ο Ραφαέλ είχε ήδη σκύψει εξυπηρετικά μπροστά της και σήκωνε το φινετσάτο μεταξωτό ύφασμα, τα αμέτρητα κόκκινα και άσπρα λουλουδάκια του οποίου θα μπορούσαν λογικά να καμουφλάρουν μια χαρά ένα μικρό σχίσιμο. Μόνο που όσο το τραβούσε εκείνος προς τα πάνω, το σχίσιμο έπαιρνε όλο και μεγαλύτερες διαστάσεις μπροστά στα έντρομα μάτια της Κριστίνα. Η οποία όμως δεν είχε τρομοκρατηθεί από το σχίσιμο, αλλά εξαιτίας της ζάλης που της είχε προκαλέσει η αίσθηση από το ανάλαφρο άγγιγμα του χεριού του Ραφαέλ πάνω στο πόδι της.

«Βλέπεις;» μουρμούρισε σκεφτικός εκείνος, μη έχοντας ιδέα για το ρίγος που τη διαπερνούσε την ίδια στιγμή.

«Τι θα κάνω τώρα;» ψέλλισε ξέπνοα η Κριστίνα, προσπαθώντας απεγνωσμένα να συγκεντρωθεί στο συγκεκριμένο πρόβλημα.

Για κάμποση ώρα έμειναν να κοιτάζονται αμήχανοι. Ώσπου στο τέλος ο Ραφαέλ αναστέναξε κουρασμένα. «Τι άλλο έχεις φέρει μαζί σου;» τη ρώτησε κλείνοντας ταυτόχρονα τα αυτιά του στη σαρκαστική φωνή μέσα στο κεφάλι του που ενδιαφερόταν να μάθει από πότε είχε αναλάβει το ρόλο του σωτήρα απροστάτευτων και δεινοπαθούντων άχαρων κορασίδων.

«Ένα τζιν, πουλόβερ και αδιάβροχο για την περίπτωση που βρέξει όσο θα εξερευνώ τους καταπληκτικούς κήπους της Μαρίας», τον πληροφόρησε πρόθυμα η Κριστίνα. «Βλέπεις, τρελαίνομαι για τους κήπους. Ακόμα και οι πιο βαρετοί και μονόχνοτοι άνθρωποι μπορούν καμιά φορά να δημιουργούν ρομαντικούς παραδείσους με ονειρεμένα παρτέρια, μικρές εκτάσεις με γρασίδι και πλακόστρωτα μονοπάτια. Αλλά τι κάθομαι και σου λέω... Συγνώμη για τη φλυαρία μου και... όχι, δεν υπάρχει στο σακ βουαγιάζ μου κανένα άλλο ρούχο κατάλληλο για το πάρτι».

Ο Ραφαέλ δεν είχε γνωρίσει άλλη γυναίκα που να ταξιδεύει με τα απολύτως απαραίτητα. Γι' αυτό και εντυπωσιάστηκε τόσο, που προθυμοποιήθηκε να πάει και να της φέρει κάτι από τις ντουλάπες της μητέρας του που ήταν τόσο φορτωμένες ώστε θα μπορούσαν άνετα να ντύσουν όλο τον θηλυκό πληθυσμό της Κάμπρια.

«Μα είναι ψηλότερη από μένα», διαμαρτυρήθηκε η Κριστίνα μόλις άκουσε την πρότασή του. «Και πολύ πιο αδύνατη!»

Αλλά εκείνος δεν της έδωσε σημασία. Αντίθετα την παράτησε ολομόναχη να παραδέρνει σε μια μιζέρια που ως τότε της ήταν άγνωστη.

Όταν επέστρεψε μετά από λίγο, κρατούσε στην αγκαλιά του ένα σωρό από φανταχτερά φορέματα, που η Κριστίνα ήταν σίγουρη ότι θα ταίριαζαν περισσότερο σε μια γυναίκα με πολύ πιο λαμπερή προσωπικότητα από τη δική της.

«Δεν έχουμε πολύ χρόνο. Γδύσου», της είπε λακωνικά ο Ραφαέλ και αδιαφορώντας για τη σαστιμάρα της, συνέχισε απτόητος. «Αυτά είναι τα... τα πιο άνετα και απλά ρούχα που βρήκα. Θα πρέπει να τα δοκιμάσεις στα γρήγορα. Άντε, γιατί έχω ήδη καθυστερήσει υπερβολικά».

Η Κριστίνα κούνησε αρνητικά το κεφάλι της. «Δε γίνεται... Εννοώ μ' εσένα... να κοιτάς...»

«Μην ανησυχείς και δεν πρόκειται για κάτι που δεν έχω ξαναδεί», την καθησύχασε ο Ραφαέλ, νιώθοντας ωστόσο κατά βάθος να διασκεδάζει με την κοριτσίστικη αιδημοσύνη της.

Τελικά το πήρε απόφαση ότι η Κριστίνα δε θα υποχωρούσε και τότε της σύστησε να αλλάξει στο διπλανό μπάνιο.

Όση ώρα έκανε εκείνη, κοίταζε σκεφτικός το ρολόι του, γνωρίζοντας ότι θα μπορούσε άνετα να την παρατήσει και να φύγει. Άλλωστε είχε ήδη κάνει αρκετά για χάρη της. Στο τέλος όμως έμεινε μέχρι που άκουσε την πόρτα του μπάνιου να ανοίγει. Τότε γύρισε προς το μέρος της αποφασισμένος να της απευθύνει κάποιο κολακευτικό σχόλιο, μόνο και μόνο για να απαλλαγεί από κείνη και να ασχοληθεί με τις δικές του υποχρεώσεις.

Αλλά δεν μπόρεσε να μιλήσει. Τουλάχιστον για ένα ολόκληρο λεπτό, που έμεινε να την περιεργάζεται φανερά ξαφνιασμένος. «Σου πάει πολύ...» μουρμούρισε όταν ξαναβρήκε επιτέλους τη λαλιά του. Και τίποτα άλλο. Γιατί η εικόνα που έβλεπε τελικά μπροστά του δεν είχε καμία σχέση μ' αυτό που περίμενε. Σίγουρα η Κριστίνα δε διέθετε σιλουέτα μανεκέν, αλλά ούτε και το υπέρβαρο σώμα που το μεταξωτό της φόρεμα με τα λουλουδάκια άφηνε να εννοηθεί. Αντίθετα ήταν προικισμένη με ωραίες καμπύλες και ένα στήθος στητό και σφριγηλό, που έδειχνε να ασφυκτιά μέσα στο στενό μπούστο του όμορφου μενεξεδί φορέματος της Μαρίας. Οι στρογγυλοί, καλοσχηματισμένοι ώμοι της που αποκαλύπτονταν γυμνοί σε όλο τους το μεγαλείο ήταν τόσο ελκυστικοί, που νιώθοντας για πρώτη φορά στη ζωή του να χάνει τα λόγια του, έκανε το πρώτο που του πέρασε από το μυαλό προκειμένου να βγει από τη δύσκολη θέση.

Άνοιξε την πόρτα και παραμέρισε για να την αφήσει να βγει πρώτη από το δωμάτιο.

«Ευχαριστώ». Νιώθοντας την καρδιά της να ξεχειλίζει από ευγνωμοσύνη για την τόση καλοσύνη που της είχε δείξει εκείνος, η Κριστίνα κοντοστάθηκε καθώς περνούσε από μπροστά του, σηκώθηκε στις μύτες των ποδιών της και του έδωσε ένα απαλό φιλί στο μάγουλο.

Χωρίς να υπολογίσει τις συνέπειες. Γιατί μόλις τον άγγιξε με τα χείλη της αισθάνθηκε μονομιάς να τη διαπερνάει μια έντονη ανατριχίλα σαν ηλεκτρικό ρεύμα. Νιώθοντας το πρόσωπό της να καίει, τραβήχτηκε από πάνω του το ίδιο απότομα όσο κι εκείνος και άρχισε να φλυαρεί ακατάσχετα, μόνο και μόνο για να μην τον αφήσει να υποψιαστεί πόσο αναστατωμένη ήταν.

Ηρέμησε μόνο όταν κατέβηκαν τις σκάλες και βρέθηκαν ανάμεσα στους υπόλοιπους καλεσμένους. Τότε κατάφερε να πάρει μια ανάσα, περιμένοντας να ανταλλάξει μερικές κουβέντας με τη Μαρία που εκείνη τη στιγμή έδινε οδηγίες στη σερβιτόρα που κρατούσε το δίσκο με τα ποτά.

Όσο περίμενε η Κριστίνα βρήκε την ευκαιρία να θαυμάσει

την αρχοντική σάλα με τους υπέροχους πίνακες και τον εκλεκτό διάκοσμο, που επικοινωνούσε με μια δεύτερη τεράστια αίθουσα υποδοχής που ήταν γεμάτη ανθρώπους. Παντού τριγύρω υπήρχαν βάζα με πολύχρωμα λουλούδια, ενώ όλοι οι καλεσμένοι έδειχναν να διασκεδάζουν με την ψυχή τους. Κρατώντας στο χέρι ένα ποτήρι λευκό κρασί, χαμογέλασε πλατιά στην οικοδέσποινα μόλις την είδε να κατευθύνεται χαρούμενη προς το μέρος της.

«Αυτό το φόρεμα...», είπε κάπως διστακτικά η Μαρία μετά τις πρώτες κουβέντες, φανερά ξαφνιασμένη.

Η Κριστίνα αναγνώρισε για άλλη μια φορά πως αυτή η εξαιρετικά γοητευτική και κομψή γυναίκα είχε το χάρισμα μιας αρχοντικής ευγένειας που δεν τρόμαζε το συνομιλητή της. Και ο Ραφαέλ της μοιάζει, μόνο που είναι λιγάκι οξύθυμος, συλλογίστηκε, νιώθοντας να ξεχειλίζει από ευγνωμοσύνη για την πολύτιμη βοήθειά του και αναρωτήθηκε με ένα σκίρτημα στην καρδιά πού ακριβώς να βρισκόταν εκείνος αυτή τη στιγμή.

Όντας σίγουρη ότι θα είχαν σπεύσει να μονοπωλήσουν τη συντροφιά του κάποιες από τις γοητευτικές υπάρξεις που συνωστίζονταν κάτω από τα φώτα, ανέλαβε να εξηγήσει η ίδια στη Μαρία το πώς βρέθηκε να φοράει το φόρεμά της.

Η ιστορία της διασκέδασε τόσο την αξιολάτρευτη μητέρα του Ραφαέλ, που στο τέλος της δήλωσε γελώντας ότι της χάριζε το ρούχο, διότι της πήγαινε πολύ καλύτερα από όσο σ' εκείνη.

«Ποτέ δεν κατάφερα να 'γεμίσω' τα επίμαχα σημεία τόσο αισθησιακά όπως εσύ», της αποκάλυψε με ύφος συνωμοτικό, κάνοντας εν αγνοία της στη νεαρή καλεσμένη της μια τονωτική ένεση αυτοεκτίμησης. «Και τώρα πες μου νέα από τους γονείς σου».

Έμειναν για κάμποσα λεπτά να κουβεντιάζουν τα δικά τους. Στη συνέχεια η Μαρία άρχισε να τη συστήνει στους καλεσμένους και η Κριστίνα έβαλε τα δυνατά της να συγκρατήσει τα πολλά και δύσκολα ονόματά τους. Όταν κάποια στιγμή η οικοδέσποινα επέστρεψε στα καθήκοντά της, η Κριστίνα βρισκόταν ήδη στη μέση μιας ενδιαφέρουσας συζήτησης με μερικούς ντόπιους σχετικά με την αρχιτεκτονική των κήπων και για την ποιότητα και τα μυστικά του κάθε είδους χώματος.

Από την άλλη άκρη της σάλας, ο Ραφαέλ στάθηκε για λίγο και την παρακολουθούσε αφηρημένος κι ύστερα άρχισε να ψάχνει τη μητέρα του. Φυσικά ήταν σίγουρος ότι αυτό που τον περίμενε θα ήταν ένα σύντομο κήρυγμα σχετικά με την αξία της ακρίβειας στα ραντεβού. Άραγε πώς θα αντιδρούσε η μητέρα του όταν μάθαινε ότι θα έπρεπε να αποσυρθεί νωρίς λόγω μιας πολύ σημαντικής υπερατλαντικής τηλεδιάσκεψης που είχε κανονίσει για τις έντεκα και μισή ακριβώς; αναρωτήθηκε, νιώθοντας ήδη να χάνει το κέφι του εξαιτίας των παραπόνων που θα ακολουθούσαν.

Αλλά έπεσε έξω, γιατί η Μαρία ήταν πολύ γλυκιά μαζί του και δεν έκανε το παραμικρό σχόλιο για την καθυστέρησή του στο πάρτι. Αντίθετα τον ευχαρίστησε θερμά για όσα έκανε για τη νεαρή της φίλη.

«Μα δεν είχα άλλη επιλογή. Είχε κλείσει το δρόμο με το αυτοκίνητό της και έψαχνε να βρει έναν φακό επαφής μέσα στα χιόνια, στη μέση του πουθενά», εξήγησε με ύφος απολογητικό στη μητέρα του ο Ραφαέλ, ενώ την ίδια στιγμή αναρωτιόταν πώς μπορούσε η Κριστίνα να βλέπει χωρίς τα τεράστια γυαλιά της με τα οποία είχε αρνηθεί μετά μανίας να εμφανιστεί, προτιμώντας στη θέση τους τον ένα και μοναδικό φακό που της είχε απομείνει.

Σίγουρα κινδυνεύει ανά πάσα στιγμή να πέσει πάνω σε κάτι εύθραυστο και να το κάνει θρύψαλα, αποφάσισε με ένα αδιόρατο χαμόγελο στα χείλη. Όπως και να έχει πάντως, οι καμπύλες της είναι υπέροχες, παραδέχτηκε βουβά, απολαμβάνοντας αργά το ουίσκι του με σόδα.

Η Μαρία εντόπισε εύκολα το αντικείμενο της προσοχής του, ακολουθώντας το βλέμμα του.

«Πρόκειται για αληθινό διαμάντι», σχολίασε με θέρμη. «Γνωρίζω τους γονείς της εδώ και πολλά χρόνια. Είναι ιδιοκτήτες μιας μεγάλης αλυσίδας κοσμηματοπωλείων... Θα πρέπει να τα έχεις υπόψη σου, είμαι σίγουρη. Προμηθεύουν με πολύτιμους λίθους όλους τους σημαντικούς και επώνυμους ανθρώπους της εποχής μας. Με απόλυτη διακριτικότητα φυσικά, καταλαβαίνεις...»

Ο Ραφαέλ δεν έδινε συνήθως μεγάλη σημασία στη μητέρα του όταν άρχιζε τα κολακευτικά σχόλια για γνωστούς και φίλους. Στην προκειμένη περίπτωση όμως ορισμένες φράσεις της τράβηξαν ιδιαίτερα την προσοχή του. Έτσι έμαθε ότι οι γονείς της Κριστίνα ήταν απλοί και καταδεχτικοί άνθρωποι που δε διαφήμιζαν τα πλούτη τους. Ιταλοί φυσικά, παραδοσιακοί αλλά όχι αυστηροί. Και επίσης περήφανοι για τη μικρή τους κόρη που ζούσε και εργαζόταν στο Λονδίνο.

Και τότε η τελευταία φράση της μητέρας του έπεσε ξαφνικά στο κεφάλι του σαν αστροπελέκι.

«Είναι τέλεια για σένα, Ράφι. Ήρθε επιτέλους ο καιρός να βρεις κι εσύ την κατάλληλη γυναίκα να νοικοκυρευτείς».

ΚΕΦΑΛΑΙΟ 2

Ξ έχνα το, μητέρα!»

Αυτή τη φορά κάθονταν στη μεγάλη κουζίνα της έπαυλης, έχοντας ανάμεσά τους την πυρίμαχη κανάτα με τον γαλλικό καφέ και το μικρό ραδιόφωνο που ανήγγειλε ότι θα ακολουθούσε και δεύτερο κύμα κακοκαιρίας στην περιοχή.

Η ώρα δεν ήταν ακόμα ούτε έξι και μισή. Ο Ραφαέλ είχε πιάσει ήδη δουλειά μέσω του κινητού τηλεφώνου και του φορητού υπολογιστή του, ενώ η Μαρία που δεν κατάφερνε ποτέ να κοιμηθεί παραπάνω από τις έξι το πρωί, είχε σπεύσει να κατέβει στην κουζίνα για να ξεμοναχιάσει τον μονάκριβο γιο της, πριν αρχίσουν να εμφανίζονται οι καλεσμένοι που είχαν διανυκτερεύσει στην έπαυλη, διεκδικώντας την προσοχή της.

«Μεγαλώνεις, Ράφι». Παίρνοντας ένα κρουασάν από την πιατέλα, η Μαρία προσπάθησε να σκεφτεί με ποιον τρόπο θα έκανε το γιο της να δει τα πράγματα από τη δική της σκοπιά. «Θέλεις μήπως να γεράσεις, αλλάζοντας συντρόφους βδομάδα παρά βδομάδα;»

«Δεν κάνω τίποτα τέτοιο, μητέρα», την καθησύχασε ήρεμα εκείνος χωρίς ωστόσο να τραβήξει στο ελάχιστο το βλέμμα του από την οθόνη του υπολογιστή. «Προσπάθησε, σε παρακαλώ, να καταλάβεις ότι μου αρέσει ο τρόπος που ζω», συνέχισε, αποφεύγοντας διακριτικά το βλέμμα της. «Και όσο για την εκλεκτή σου, μόλο που αναγνωρίζω ότι είναι σίγουρα ένα εξαιρετικό πλάσμα, φοβάμαι ότι δεν είναι ο τύπος μου».

«Τον έχω γνωρίσει τον τύπο σου! Σκέτη εμφάνιση χωρίς καθόλου περιεχόμενο!»

«Έτσι μου αρέσουν οι γυναίκες, μητέρα». Ελαφρά ξαφνιασμένος με το ξέσπασμα της μητέρας του, ο Ραφαέλ της χαμογέλασε για να την καθησυχάσει. «Δε με ενδιαφέρουν οι σταθεροί δεσμοί και το ξέρεις. Δεν έχω χρόνο για σταθερούς δεσμούς, πώς το λένε;»

«Έχεις όσο χρόνο επιτρέπεις στον εαυτό σου, Ράφι!»

Βλέποντας τη μητέρα του να σκύβει αποφασιστικά προς το μέρος του, ο Ραφαέλ ετοιμάστηκε να υποστεί ένα ακόμη κήρυγμα, το οποίο όμως διέγραψε αυτόματα από το μυαλό του αμέσως μόλις άρχισε μια τηλεδιάσκεψη με τους συνεργάτες του. Όπως επίσης διέγραψε και την κοπέλα που είχε γνωρίσει εντελώς τυχαία το προηγούμενο βράδυ στη στροφή του μονοπατιού που οδηγούσε στην έπαυλη, μετά δυσκολίας συγκρατώντας ότι ήταν στρουμπουλή, με μέτριο ύψος και ασυνήθιστα καλόκαρδη.

«Δεν μπορείς να αποφεύγεις για πάντα αυτή τη συζήτηση, Ράφι».

Μετά το πέρας της τηλεδιάσκεψης, η Μαρία που είχε ανοσία στους αγενείς τρόπους του γιου της, ξανάπιασε ακάθεκτη και με καλοσυνάτη φωνή το νήμα της συζήτησης ακριβώς από το σημείο που το είχαν αφήσει, υποχρεώνοντας τον Ραφαέλ, προς μεγάλη του λύπη, να της μιλήσει καθαρά.

«Λυπάμαι, αλλά ειλικρινά δε θέλω να κάνουμε αυτή τη συζήτηση, μητέρα».

«Κι εγώ σου λέω πως επιβάλλεται! Για το Θεό! Παντρεύτηκες άγουρο παλικαράκι και όταν πέθανε εκείνη έπεσες σε μαρασμό. Αλλά από τότε έχουν περάσει δέκα ολόκληρα χρόνια, αγόρι μου! Είμαι σίγουρη ότι ακόμα και η Έλεν δε θα ήθελε με τίποτα να σε βλέπει να ζεις έτσι!» Κατά βάθος η Μαρία πίστευε πως για τη νύφη της θα ίσχυε εντελώς το αντίθετο. Επειδή όμως η ίδια θεωρούσε αμαρτία την έλλειψη σεβασμού απέναντι στους νεκρούς, προτίμησε να κρατήσει αυτή τη σκέψη για τον εαυτό της. Όπως έκανε άλλωστε και με όλες τις άλλες που περνούσαν από το μυαλό της επί χρόνια ατέλειωτα και αφορούσαν τη γυναίκα που είχε παντρευτεί ο μονάκριβος γιος της.

«Για τελευταία φορά, μητέρα, σου δηλώνω ότι δε ζω στο περιθώριο!» Και δε χρειάζεται να προσπαθείς να μου βρεις σύζυγο, ήθελε να προσθέσει μα συγκρατήθηκε για να μη την πληγώσει. Δεδομένου ότι ήταν ο μοναχογιός της και την είχε απογοητεύσει ήδη μια φορά, όταν παντρεύτηκε την Έλεν, ένα κεφάλαιο της ζωής του που αποτελούσε ταμπού ανάμεσά τους και είχε κλείσει οριστικά με το θάνατό της.

Ευτυχώς η Μαρία δεν έδειξε διάθεση να επιμείνει.

Αντίθετα ανασήκωσε τους ώμους και σηκώθηκε όρθια.

«Θα πρέπει να ετοιμαστώ», ανακοίνωσε με φυσικότητα, «γιατί από στιγμή σε στιγμή θα αρχίσουν να κατεβαίνουν οι καλεσμένοι μου για το πρωινό τους. Δε θα είναι σωστό να τους υποδεχτώ με τη ρόμπα. Με συγχωρείς που ανακατεύομαι στη ζωή σου, παιδί μου, αλλά ομολογώ ότι ανησυχώ αληθινά για σένα».

Ο Ραφαέλ της χαμογέλασε τρυφερά. «Σε καταλαβαίνω, μητέρα...»

«Θέλω να ξέρεις ότι η Κριστίνα είναι ένα κορίτσι απονήρευτο και εντελώς αθώο. Γνωρίζω καλά τους γονείς της και τους εκτιμώ βαθιά. Θεωρείς ότι είναι λάθος μου που νοιάζομαι τόσο για κείνη;»

Ο Ραφαέλ έσμιξε προβληματισμένος τα φρύδια του. «Νομίζω ότι άδικα φοβάσαι. Εμένα η κοπέλα μού φάνηκε μια χαρά. Να φανταστείς ότι δε μου παραπονέθηκε καθόλου για τη ζωή της στο Λονδίνο. Υποθέτω ότι θα πρέπει να περνάει πολύ καλά».

«Πιθανόν». Γυρίζοντάς του την πλάτη, η Μαρία άρχισε να ετοιμάζει το τραπέζι για τους δώδεκα φιλοξενούμενούς της που είχαν ξεμείνει από το πάρτι, μαζί με τον Έρικ και την Άντζελα, τους δύο πιστούς βοηθούς της που ζούσαν κοντά της εδώ και χρόνια και είχαν ήδη πιάσει δουλειά στην κουζίνα όσο εκείνη συζητούσε με το γιο της. Καθώς δούλευε όμως, το μυαλό της παρέμενε κολλημένο στον Ραφαέλ και την αγωνία της να τον δει τακτοποιημένο και απαλλαγμένο οριστικά από το πλήθος των ακατάλληλων γυναικών που μπαινόβγαιναν στη ζωή του.

Επιστρατεύοντας το μητρικό της ένστικτο, γύρισε ξανά τη συζήτηση στην Κριστίνα.

«Μήπως θα μπορούσες τουλάχιστον να ρίξεις μια ματιά στο αυτοκίνητό της πριν επιχειρήσει το ταξίδι της επιστροφής;» παρακάλεσε το γιο της, αποσπώντας ξανά την προσοχή του από τον υπολογιστή. «Σου το ζητώ ως προσωπική χάρη. Της το υποσχέθηκα χθες βράδυ πριν ανέβει στο δωμάτιό της. Πήρα μάλιστα και τα κλειδιά της. Είναι στο τραπεζάκι της εισόδου».

«Κανένα πρόβλημα». Θεωρώντας την αγγαρεία που του ζητούσε η μητέρα του πολύ λιγότερο ενοχλητική από την κουβέντα τους που τον εκνεύριζε, ο Ραφαέλ ανέβαλε για αργότερα τις απαντήσεις στα μηνύματα που είχε λάβει και βγαίνοντας από το σπίτι, κατευθύνθηκε προς το σημείο όπου είχε παρκάρει ο ίδιος το Μίνι το προηγούμενο βράδυ. Πρόσεξε ότι ο σκοτεινός ουρανός προειδοποιούσε ήδη για επικείμενη νέα χιονόπτωση. Αν δε φύγω το συντομότερο υπάρχει κίνδυνος να αποκλειστώ στην έπαυλη, συλλογίστηκε έντρομος. Και τότε θα υφίστατο έναν νέο κύκλο κατηχήσεων για τις λανθασμένες επιλογές που είχε κάνει στη ζωή του.

Κλωθογυρίζοντας στο μυαλό του αυτές τις σκέψεις, μπήκε στο Μίνι και έστριψε το κλειδί στη μηχανή.

Το τελευταίο που θα μπορούσε να είχε φανταστεί ήταν το απίθανο σενάριο ότι θα αποδεικνυόταν αδύνατον να το βάλει μπροστά.

Μια ώρα αργότερα γύρισε στην έπαυλη όλος νεύρα και χωρίς να έχει πετύχει το παραμικρό. Περνώντας την είσοδο, έπεσε πάνω στην Κριστίνα· την αιτία όλων των προβλημάτων του, η οποία, ντυμένη ζεστά με τζιν και πουλόβερ, τον καλημέρισε με ένα ζεστό χαμόγελο.

«Το Μίνι έχει νεκρώσει», την ενημέρωσε κοφτά, καθαρίζοντας με μανία τα πόδια του στο χαλάκι της εισόδου.

Στη συνέχεια της γύρισε την πλάτη για να βγάλει το βαρύ

δερμάτινο σακάκι του. Μόνο όταν το κρέμασε, στράφηκε ξανά και την κοίταξε έντονα.

Εκείνη του ανταπέδωσε αμήχανη το βλέμμα, δαγκώνοντας νευρικά τα χείλη της. Στην πραγματικότητα ένιωθε ενοχές για την καινούρια αγγαρεία που του είχε φορτώσει. Κανονικά ήταν δική της δουλειά να ασχοληθεί με το αυτοκίνητό της. Το προηγούμενο βράδυ όμως η Μαρία την είχε διαβεβαιώσει ότι δε θα ήταν καθόλου πρόβλημα για τον Ραφαέλ. Της είχε δώσει μάλιστα την εντύπωση ότι θα του φαινόταν παιχνιδάκι. Κάτι που δεν ίσχυε απ' ό,τι φαινόταν, κρίνοντας από το σκοτεινιασμένο πρόσωπό του. Αντίθετα φαινόταν αρκετά ενοχλημένος.

«Πραγματικά λυπάμαι», ψέλλισε απολογητικά. «Ήταν δικό μου χρέος να ασχοληθώ μαζί του. Για την ακρίβεια, ήμουν έτοιμη να...».

«Και νομίζεις ότι θα τα κατάφερνες καλύτερα από μένα;»

«Όχι αλλά...» Μόλο που τα έχασε λίγο με τον επιθετικό του τόνο, η Κριστίνα βρήκε το κουράγιο να του χαμογελάσει αμυδρά. «Όπως και να 'χει, σ' ευχαριστώ που μπήκες σε τόσο κόπο. Κάνει πολύ κρύο εκεί έξω· σωστό ψόφο. Μήπως θα ήθελες να σου φτιάξω μια ζεστή σοκολάτα για να ζεσταθείς; Τη φτιάχνω πολύ γευστική».

«Για ζεστή σοκολάτα ούτε λόγος, αλλά για έναν σκέτο καφέ δε θα έλεγα όχι», της απάντησε βλοσυρός ο Ραφαέλ καθώς κατευθυνόταν προς την κουζίνα, όπου ευτυχώς για την ώρα δεν υπήρχε ψυχή. Εκεί, αφού έβαλε ένα φλιτζάνι καφέ για τον εαυτό του, γέμισε και ένα για την Κριστίνα. Της το πρόσφερε απότομα και χωρίς να κοιτάξει καν προς το μέρος της. Αλλά εκείνη το αρνήθηκε ευγενικά.

«Έχω ήδη πιει ένα τσάι, ευχαριστώ», είπε αμήχανα, προσπαθώντας να πάψει να σκέφτεται πόσο σέξι φάνταζε εκείνος στα μάτια της ακόμα και τώρα που φαινόταν ξενυχτισμένος και κακοδιάθετος. Ήταν το ίδιο γοητευτικός όπως και το προηγούμενο βράδυ που είχε σπεύσει να τη βοηθήσει. Νιώθοντας την καρδιά της να ζεσταίνεται σ' αυτή τη σκέψη, βρήκε το κουράγιο να του απευθύνει ξανά το λόγο. «Πιστεύεις ότι θα μπορούσα να ειδοποιήσω κάποιο συνεργείο στην περιοχή για να έρθει και να το επισκευάσει;» ρώτησε διστακτικά τη γυρισμένη πλάτη του.

Ο Ραφαέλ δεν άλλαξε στάση. «Είναι Κυριακή και έρχεται χιονόπτωση», σχολίασε ξερά. Για κάμποση ώρα δεν πρόσθεσε άλλη λέξη, μέχρι που στράφηκε αργά προς το μέρος της. «Άρα η απάντηση είναι μάλλον αρνητική».

Τα λόγια του την έκαναν να χλομιάσει. «Μα δεν έχω άλλη εναλλακτική λύση! Δε γίνεται να μείνω κι άλλο εδώ! Έχω τη δουλειά μου. Χριστέ μου, δεν το πιστεύω πως το αυτοκίνητό μου με εγκατέλειψε μια τέτοια στιγμή!»

«Θα έλεγα πως μάλλον δεν το έκανε επίτηδες», παρατήρησε στεγνά ο Ραφαέλ, ο οποίος, νιώθοντας τώρα πολύ καλύτερα μετά τον καφέ, δεν έβλεπε την ώρα να ξεκινήσει για το γραφείο του. Ο αυτοκινητόδρομος σίγουρα δε θα είχε πρόβλημα, δεν μπορούσε όμως να είναι το ίδιο σίγουρος και για τους επαρχιακούς δρόμους που συνήθως γίνονταν αδιάβατοι μετά την κακοκαιρία. Ιδιαίτερα για τα σπορ δυνατά αυτοκίνητα σαν τη Φεράρι, που απαιτούσαν κατά κανόνα τέλειες οδικές συνθήκες.

Βλέποντας ξαφνικά το πρόσωπο της Κριστίνα να φωτίζεται από ένα χαμόγελο, δεν μπόρεσε να μη σκεφτεί αυθόρμητα ότι έδειχνε όμορφη όταν χαμογελούσε. Ο χρόνος όμως που τον πίεζε αφόρητα τον έκανε να διώξει γρήγορα αυτή τη σκέψη από το μυαλό του και να καταπιεί βιαστικά την τελευταία γουλιά καφέ, κοιτάζοντας ανήσυχος το ρολόι του.

«Πρέπει να φύγω», ανακοίνωσε ζωηρά στην Κριστίνα και καθώς την κοιτούσε, αναρωτήθηκε αν εκείνη είχε υπόψη της τα συνοικέσια που είχε κατά νου η μητέρα του.

Μπα, αποκλείεται, συμπέρανε μετά από ωριμότερη σκέψη καθώς εκείνη άνοιγε διστακτικά το στόμα της να του μιλήσει.

«Ξέρω ότι σου γίνομαι βάρος, αλλά... μήπως θα σου ήταν εύκολο να με πάρεις μαζί σου στο Λονδίνο; Μπορείς να με αφήσεις σε οποιονδήποτε σταθμό του μετρό, δεν υπάρχει πρόβλημα. Φτάνει να γυρίσω. Όσο για το αυτοκίνητο... Θα στείλω έναν μηχανικό να το επισκευάσει και να μου το φέρει πίσω».

«Μα γιατί δεν παραμένεις να το φροντίσεις η ίδια; Υποθέτω ότι το αφεντικό σου δε θα έχει αντίρρηση να λείψεις μια μέρα».

«Δεν έχω αφεντικό. Δουλεύω μόνη μου», είπε η Κριστίνα με μια μικρή δόση περηφάνιας στη φωνή.

«Ακόμα καλύτερα. Τότε μπορείς άνετα να δώσεις στο εαυτό σου λίγη άδεια». Ικανοποιημένος τώρα πια που είχε κανονίσει το θέμα, ο Ραφαέλ άφησε το άδειο φλιτζάνι του στο νεροχύτη και άρχισε να κατευθύνεται προς την πόρτα. Αλλά η λύπη και η απογοήτευση στο πρόσωπο της Κριστίνα πίσω του τον έκανε να μουρμουρίσει νοερά μια βρισιά, πριν αποφασίσει να στραφεί αργά προς το μέρος της. «Θα ξεκινήσω σε μια ώρα», της ανακοίνωσε απότομα και ξαφνιάστηκε με τη χαρά που αντικατέστησε στη στιγμή τη θλίψη στο πρόσωπό της. «Αν δεν είσαι έτοιμη, θα φύγω», βιάστηκε ωστόσο να της ξεκαθαρίσει, αρνούμενος να παρασυρθεί από την καλή της διάθεση. «Έρχεται βαριά χιονόπτωση και δε σκοπεύω να παγιδευτώ στην έπαυλη».

«Μπορείς να ζητήσεις από το αφεντικό σου λίγη άδεια», τον πείραξε με ύφος ανάλαφρο η Κριστίνα. «Εκτός κι αν είσαι εσύ το αφεντικό, οπότε...»

Αισθανόταν τόσο ξαλαφρωμένη και χαρούμενη που είχε μεγάλη διάθεση για γέλια και αστεία. Τελικά ο Ραφαέλ ήταν συναρπαστικός άνθρωπος. Αυτό ακριβώς συλλογιζόταν όση ώρα μάζευε τα πράγματά της, αλλά και αργότερα, όταν έβγαινε από την έπαυλη χωρίς να πάρει πρωινό, που έτσι κι αλλιώς δεν το είχε ιδιαίτερη ανάγκη. Και η Μαρία παρά τις ευγενικές διαμαρτυρίες της, είχε προθυμοποιηθεί να φροντίσει η ίδια το Μίνι μέσω του Ρότζερ, του ιδιοκτήτη του τοπικού συνεργείου ο οποίος της χρωστούσε μεγάλη χάρη μετά από μια εξαιρετικά επικερδή πληροφορία που του είχε δώσει για τον ιππόδρομο.

Μόνο ο Ραφαέλ δεν ένιωθε ευχαριστημένος με τη συγκεκριμένη ρύθμιση. Αντίθετα ένιωθε παγιδευμένος. Φυσικά δεν μπορούσε να κατηγορήσει τη μητέρα του που το Μίνι, έχοντας πεισματώσει σαν μουλάρι, αρνιόταν να πάρει μπροστά. Από την άλλη όμως, του φαινόταν αφόρητο το να είναι υποχρεωμένος να μοιράζεται τον προσωπικό του χώρο με μια ξένη γυναίκα.

Η οποία αποδείχτηκε στη συνέχεια αρκετά ομιλητική. Α-φού τον περίμενε υπομονετικά να ολοκληρώσει την επαγγελματική του συζήτηση στον ασύρματο δέκτη του αυτοκινήτου, του ζήτησε με ευθύτητα και με το βλέμμα της καρφωμένο στον κατάμαυρο ουρανό να της απαριθμήσει τις καθημερινές του ασχολίες.

«Μα δε χαλαρώνεις ποτέ;» τον ρώτησε σοκαρισμένη όταν ο Ραφαέλ της ανέφερε απρόθυμα το τυπικό καθημερινό του πρόγραμμα.

Στην αρχή δεν της απάντησε. Εξαιτίας της ωστόσο απέφυγε να καλέσει στο κινητό την Πατρίτσια την ιδιαιτέρα του και να πληροφορηθεί τα νεότερα της συμφωνίας Ρόμπερτς.

«Μιλάς σαν τη μητέρα μου», της δήλωσε τελικά κάπως πιο χαλαρός αυτή τη φορά, έχοντας αποφασίσει ότι μια και έμεναν μονάχα άλλες δύο ώρες που θα περνούσαν μαζί, δεν άξιζε τον κόπο να είναι σκυθρωπός και δύστροπος. Σε απόλυτη αντίθεση μ' εκείνη, που ήταν καλοδιάθετη, ομιλητική και ευχάριστη. «Υποθέτω ότι αφού έχεις κι εσύ δική σου δουλειά, θα γνωρίζεις ότι δε γίνεται να ξεφύγεις λεπτό. Αλήθεια, τι ακριβώς κάνεις;»

Η Κριστίνα που εδώ και κάμποση ώρα αισθανόταν λίγο πληγωμένη με την έλλειψη ενδιαφέροντος από μέρους του για το αντικείμενο της δουλειάς της —αλλά και ολόκληρη τη ζωή της γενικότερα— του χάρισε αυτόματα ένα πλατύ χαμόγελο, δικαιολογώντας τον στη στιγμή για τη μέχρι τότε αδιαφορία του.

Φταίει που είναι πολύ σημαντικός, της υπέδειξε ο ηλιόλουστος εαυτός της. Ήξερε ήδη ότι ήταν από μεγάλο τζάκι, όχι όμως ότι είχε φορτωθεί όλη την ευθύνη για την πρόοδο της αυτοκρατορίας που άφησε πίσω του ο πατέρας του. Οπότε ήταν φυσικό να μην του περισσεύει χρόνος για ανέμελες και άσκοπες συζητήσεις.

«Τίποτα το σπουδαίο», του αποκρίθηκε αόριστα, νιώθο-

ΣΧΕΔΙΟ ΓΑΜΟΥ 33

ντας ξαφνικά λίγο άσχημα για την τόσο εύκολη και απλοϊκή επαγγελματική δραστηριότητά της.

«Τώρα είμαι περίεργος να μάθω». Το χαμόγελο με το οποίο συνόδευσε ο Ραφαέλ αυτή τη δήλωση την αναστάτωσε, κάνοντάς τη να ριγήσει. Αυτό που συνέβαινε ήταν τρομακτικό και μαζί συναρπαστικό. Και δεν είχε ιδέα πώς να το χειριστεί.

«Έστω... Θυμάσαι που σου είχα πει ότι αγαπώ τους κήπους και τη φύση γενικότερα;»

Ο Ραφαέλ δε θυμόταν, αλλά περιορίστηκε να κουνήσει καταφατικά το κεφάλι του.

«Ε, λοιπόν, έχω ανοίξει ανθοπωλείο, στο Λονδίνο. Κάθε παιδί της οικογένειάς μου εισέπραξε ένα συγκεκριμένο χρηματικό πόσον μόλις ενηλικιώθηκε. Εγώ επέλεξα να επενδύσω το δικό μου ποσόν στη μικρή μου επιχείρηση».

«Και γιατί στο Λονδίνο; Γενικότερα, τι σε έκανε να διαλέξεις την Αγγλία;» Ώστε ανθοπωλείο, συλλογίστηκε. Ο ίδιος έστελνε λουλούδια στις κατά καιρούς ερωμένες του μόνο όταν ήθελε να αναγγείλει το τέλος της σχέσης. Φυσικά το καθήκον το αναλάμβανε η ιδιαιτέρα του, αλλά ο Ραφαέλ ήταν σίγουρος ότι απευθυνόταν σε κάποιο από τα μεγάλα ανθοπωλεία που παρέδιδαν λουλούδια σε όλον τον κόσμο. Ωστόσο, δεν μπορεί, θα πρέπει να υπάρχουν και μικρότερα μαγαζιά, κατέληξε σκεφτικός. Και η Κριστίνα... Γλυκιά και τρυφερή. Ναι, αυτό ήταν. Η εμφάνισή της ταίριαζε τέλεια με κάποια που έχει ένα μαγαζί γεμάτο λουλούδια.

Η Κριστίνα, που στο μεταξύ προσπαθούσε απεγνωσμένα να συντάξει μια πλήρη και ειλικρινή απάντηση, ένιωσε τα μάγουλά της να ροδίζουν. «Είναι που... μου αρέσει να ζω μακριά από την Ιταλία», του ομολόγησε χαμηλόφωνα. «Δε θα ήθελα να παρεξηγήσεις αυτό που λέω· έχω μια καταπληκτική οικογένεια και δύο υπέροχες αδερφές που έχουν κάνει εξαιρετικούς γάμους. Αλλά θα προτιμούσα να μη με συγκρίνουν μαζί τους. Σε παρακαλώ, μην το αναφέρεις αυτό στη μητέρα σου και φτάσει στα αφτιά των γονιών μου», κατέληξε ανήσυχη.

«Ησύχασε, δε θα πω κουβέντα», της υποσχέθηκε σοβαρός

ο Ραφαέλ. Μήπως πιστεύει ότι κάνω τέτοιου είδους συζητήσεις με τη μητέρα μου; αναρωτήθηκε. Παρ' όλα αυτά διαπίστωσε ότι του ήταν αδύνατον να παραμείνει ασυγκίνητος μπροστά στον ενθουσιασμό και την αγάπη της γι' αυτό που έκανε. Γιατί η γυναίκα ήταν μια ζωντανή εγκυκλοπαίδεια για ό,τι είχε σχέση με φυτά, δέντρα και λουλούδια. Σύντομα συνειδητοποίησε ότι του έκανε μεγάλη ευχαρίστηση να την ακούει να μιλάει για το μαγαζί της και για το όνειρό της να ασχοληθεί στο άμεσο μέλλον με την αρχιτεκτονική κήπων. Μικρών στην αρχή και μεγαλύτερων στη συνέχεια.

«Λατρεύω την Έκθεση Λουλουδιών που γίνεται κάθε χρόνο στο Τσέλσι», του αποκάλυψε κάποια στιγμή με μάτια που έλαμπαν. «Έχω βρεθεί εκεί ήδη δυο φορές. Ονειρεύομαι κάποτε να πάρω κι εγώ μέρος».

«Μα νόμιζα ότι αυτό που ονειρεύεσαι είναι να ασχοληθείς με την αρχιτεκτονική κήπων», της είπε μπερδεμένος ο Ραφαέλ.

«Α, τα δικά μου όνειρα δεν έχουν τέλος», του ομολόγησε η Κριστίνα, αλλά μόλις συνειδητοποίησε ότι φλυαρούσε, σώπασε για λίγο, δίνοντάς του το περιθώριο να πει κι εκείνος κάτι. Μέχρι που απογοητεύτηκε με τη σιωπή του και ξαναπήρε το λόγο. «Εσύ δεν έχεις;» τον ρώτησε διστακτικά.

Ο Ραφαέλ κούνησε πέρα δώθε το κεφάλι του. «Ας πούμε πως έχω καταλήξει στο συμπέρασμα ότι τα όνειρα ανήκουν στη σφαίρα της φαντασίας, γι' αυτό και όχι, δεν έχω», της αποκρίθηκε λακωνικά, διαπιστώνοντας ξαφνιασμένος την ίδια στιγμή ότι με την κουβέντα είχαν φτάσει στο Λονδίνο χωρίς να το καταλάβει. Η Κριστίνα έμενε στο Κένσινγκτον, όχι πολύ μακριά από το δικό του διαμέρισμα που ήταν στο Τσέλσι. Σε μια ακριβή περιοχή για την οποία δίχως άλλο θα πλήρωναν οι πλούσιοι γονείς της.

Καθώς έκανε αυτές τις σκέψεις, ο Ραφαέλ συνειδητοποίησε ξαφνικά ότι τα λεφτά του θα άφηναν σίγουρα ασυγκίνητη τη γυναίκα που καθόταν δίπλα του. Αυτό τον σόκαρε κάπως, διότι είχε συνηθίσει ο τραπεζικός λογαριασμός του να χρεώνεται ένα μεγάλο κομμάτι της γοητείας του. Ιδιαίτερα εκείνες που είχαν βρεθεί ξαφνικά με πολλά χρήματα στο χέρι, ήταν οι χειρότερες. Κι αυτό επειδή στην προσπάθειά τους να ανεβούν κοινωνικά, τον περιέφεραν δεξιά κι αριστερά σαν μαϊμού και τον παρουσίαζαν στους φίλους και τους γνωστούς τους ως κελεπούρι.

Ενώ η Κριστίνα δεν ενδιαφερόταν διόλου για τα λεφτά του. Αλλά ούτε και για μένα προσωπικά δείχνει να ενδιαφέρεται, συλλογίστηκε προβληματισμένος ο Ραφαέλ. Δεν επιχείρησε καθόλου να κάνει παιχνίδι μαζί μου ή να με φλερτάρει. Αντίθετα...

«Δε νομίζεις ότι ήταν κάπως υπερβολική η απόφασή σου να εγκατασταθείς σε μια ξένη χώρα μόνο και μόνο για να γλιτώσεις τη σύγκριση με τις αδερφές σου;» τη ρώτησε απότομα, αλλά εκείνη δεν έδειξε να ενοχλείται με τα λόγια του.

«Έτσι κι αλλιώς η Αγγλία είναι ένα από τα μέρη όπου ταξίδευα διαρκώς όταν ήμουν παιδί. Μάλιστα τελείωσα εσωτερική στο Σόμερσετ, σε ένα από τα καλά οικοτροφεία της περιοχής. Και το διαμέρισμα όπου ζω είναι εκείνο που είχαν αγοράσει οι γονείς μου για να μένουμε όποτε βρισκόμαστε στο Λονδίνο. Θέλω να πω δηλαδή, ότι η χώρα δε μου είναι ξένη. Άρα δεν ήρθα μόνο για να αποφύγω τη σύγκριση. Αν και... για να πούμε την αλήθεια, δηλαδή... αυτό έκανα. Διότι ξέρεις τι είναι να έχεις δυο τέλειες αδερφές; Όχι, φυσικά και δεν ξέρεις. Η Ρομπέρτα και η Φράνκι είναι υπέροχες. Φοβερές σε όλα τους, αν καταλαβαίνεις τι θέλω να πω».

«Όχι δεν μπορώ να πω ότι καταλαβαίνω».

«Ωραία, να σου εξηγήσω. Κάποιοι άνθρωποι είναι καταπληκτικοί με έναν τρόπο που σε κάνει να νιώθεις άβολα και... Εννοώ είναι κυριολεκτικά άψογοι, δεν κάνουν ποτέ λάθος και φροντίζουν ώστε και οι άλλοι να έχουν πλήρη επίγνωση της τελειότητάς τους. Αλλά η Ρομπέρτα και η Φράνκι δεν ανήκουν σ' αυτή την κατηγορία. Είναι απλώς υπέροχες. Ταλαντούχες, αστείες, στοργικές, ευγενικές...»

«Ακούγονται ιδανικές», σχολίασε ο Ραφαέλ σαρκαστικά, μια και η δική του πείρα τον είχε διδάξει ότι δεν υπήρχαν τέτοια άτομα.

«Είναι πράγματι». Η Κριστίνα αναστέναξε. «Και ως κόρες,

οι πιο στοργικές και συμπονετικές που υπάρχουν. Είναι και οι δυο αρκετά χρόνια μεγαλύτερές μου. Βλέπεις εμένα δε με περίμεναν οι γονείς μου. Αν και πρέπει να σου ομολογήσω ότι δεν το παραδέχτηκαν ποτέ. Αντίθετα, μου πρόσφεραν μια αξέχαστη παιδική ηλικία. Με παραχάιδευαν όλοι, αποκαλώντας με το μωρό της οικογένειας. Από τότε που θυμάμαι τον εαυτό μου, πήγαινα με τον πατέρα μου στα γήπεδα. Γι' αυτό λατρεύω ακόμα το ποδόσφαιρο. Συμπεριλαμβάνεται και αυτό, ξέρεις, σε ένα από τα όνειρά μου. Ονειρεύομαι να γίνω κάποτε προπονήτρια ποδοσφαιρικής ομάδας. Έπαιζα πολύ καλά όταν ήμουν μικρή. Αργότερα όμως τα παράτησα. Τώρα θέλω να ασχοληθώ και πάλι, αλλά όχι πια ως τερματοφύλακας ή επιθετική παίκτρια. Σκέφτομαι να βάλω μια αγγελία στην εφημερίδα. Εσύ τι λες;»

Ότι δεν έχω γνωρίσει στη ζωή μου άλλη τόσο φλύαρη γυναίκα, ήταν η πρώτη σκέψη που πέρασε από το μυαλό του Ραφαέλ. Αλλά την κατάπιε και γυρνώντας ελάχιστα το κεφάλι του, έριξε στην Κριστίνα μια φευγαλέα ματιά.

«Ώστε σε ενδιαφέρει και το ποδόσφαιρο», παρατήρησε, τονίζοντας αργά τις λέξεις.

Εκείνη βρήκε πολύ διασκεδαστικό το ύφος του. «Ακριβώς. Έχεις υπόψη σου για τι μιλάω; Για κείνο το παιχνίδι που μαζεύονται πολλοί μαζί καλλίγραμμοι άντρες και κλοτσάνε μια μπάλα».

«Το γνωρίζω».

«Απλώς αστειευόμουν». Η Κριστίνα έκανε μια μικρή παύση. «Δεν είσαι και πολύ κοινωνικός άνθρωπος, έτσι δεν είναι;» τον ρώτησε έξαφνα και ο Ραφαέλ σάστισε τόσο ακούγοντάς την που για κάμποση ώρα έμεινε σιωπηλός.

«Τι ακριβώς εννοείς;» είπε απότομα μόλις ξαναβρήκε τη λαλιά του.

Αλλά η Κριστίνα ένιωθε ήδη άσχημα με την αδιακρισία της. «Συγνώμη, δεν είχα πρόθεση να σε προσβάλω», μουρμούρισε απολογητικά, εκνευρίζοντάς τον ακόμα περισσότερο.

«Και τι σε κάνει να πιστεύεις ότι θα μπορούσα να νιώσω προσβεβλημένος με οτιδήποτε και να έλεγες;»

Η παρατήρησή του την πλήγωσε. «Α, δεν είναι και πολύ ευγενικό αυτό που είπες», του υπέδειξε μαλακά.

«Είναι όμως η αλήθεια», της αποκρίθηκε κυνικά ο Ραφαέλ και παίρνοντας τη στροφή στην οδό Γκλόστερ, μείωσε ταχύτητα προκειμένου να διευκολύνει τους πεζούς που έδειχναν να το θεωρούν δικαίωμά τους να διασχίζουν τους δρόμους χωρίς να κοιτάζουν δεξιά κι αριστερά.

Η παρατήρηση της Κριστίνα όμως τον είχε πειράξει στ' αλήθεια. Γι' αυτό και μόλις έσβησε τη μηχανή μπροστά στην πολυκατοικία της, γύρισε προς το μέρος της και την κοίταξε στα μάτια.

«Είμαι περίεργος να μάθω τι εννοούσες μ' αυτό που είπες πριν από λίγο».

Εκείνη κοκκίνισε. «Τίποτα το ιδιαίτερο. Απλώς ότι... δε δείχνεις να σου περισσεύει χρόνος για διασκέδαση». Ανασήκωσε ανάλαφρα τους ώμους. «Το παρατήρησα χθες βράδυ, στο πάρτι της μητέρας σου. Δεν έδειχνες να περνάς καλά».

«Θα είχες την καλοσύνη να γίνεις λίγο πιο σαφής;»

Η Κριστίνα ένιωσε ενοχές. «Έχεις θυμώσει, έτσι δεν είναι;»

«Και για ποιο λόγο θα έπρεπε να θυμώσω;»

«Διότι δεν έχεις συνηθίσει να σου λένε οι άλλοι αυτό που σκέφτονται πραγματικά για σένα».

«Έτσι λες;» Ο Ραφαέλ χαμογέλασε πικρόχολα. «Βρίσκομαι εκτεθειμένος στον πιο σκληρό και σαρκοβόρο στίβο της κοινωνικής ζωής. Στον πολεμοχαρή κόσμο των επιχειρήσεων. Φυσικά και έχω συνηθίσει να μου λένε οι άλλοι αυτό που σκέφτονται για μένα!» είπε κατηγορηματικά, χωρίς ωστόσο να μπορεί να καταλάβει για ποιο λόγο μπλέχτηκε μαζί της σε μια τέτοια συζήτηση.

«Ίσως τότε να μη σου αρέσει να το ακούς από γυναίκες».

«Μπορεί να προτιμώ οι τρυφερές μου φίλες να είναι λίγο πιο διακριτικές».

«Μήπως αυτό σημαίνει ότι πρέπει και να συμφωνούν ασυζητητί με τις απόψεις σου;»

«Δε θα το αρνηθώ πως κι αυτό βοηθάει αρκετά σε μια σχέση».

Η απάντησή του της έκανε εντύπωση καθώς στην ίδια κάτι τέτοιο θα φαινόταν βαρετό. Δεδομένου όμως ότι ο Ραφαέλ μόνο βαρετός άντρας δεν έδειχνε, την ενόχλησε κάπως που ανεχόταν να ζει μια βαρετή ερωτική ζωή.

Πριν προλάβει ωστόσο να πει οτιδήποτε, εκείνος είχε ήδη ανοίξει την πόρτα της Φεράρι και είχε βγει έξω.

«Αρκετά ως εδώ! Δε νομίζω ότι θα μπορέσω να αντέξω κι άλλες αλήθειες σου», της δήλωσε καθώς έβγαζε το σακ βουαγιάζ της από το πορτμπαγκάζ.

Η Κριστίνα επιχείρησε φανερά στεναχωρημένη να του ζητήσει συγγνώμη, αλλά δεν της έδωσε το χρόνο να το κάνει.

«Είπαμε, φτάνει!» επέμεινε με όλο και μεγαλύτερο εκνευρισμό. «Σε ποιον όροφο μένεις; Και πριν αρχίσεις να μου δηλώνεις ότι είσαι σε θέση να τα καταφέρεις και μόνη σου, σε πληροφορώ ότι θα σε συνοδεύσω ως επάνω έτσι κι αλλιώς! Γιατί μπορεί να είμαι ακοινώνητος, αλλά τους βασικούς κανόνες καλής συμπεριφοράς τους έχω διδαχτεί από την καλύτερη δασκάλα, που τυχαίνει να είναι και μητέρα μου!»

«Ναι, φυσικά, αυτό το ξέρω καλά», έσπευσε να συμφωνήσει με έκδηλη αμηχανία η Κριστίνα. «Το διαμέρισμά μου είναι στο τελευταίο πάτωμα». Μιλώντας πάντα έβγαλε από την τσάντα τα κλειδιά της. Ο Ραφαέλ της τα πήρε με μια απότομη κίνηση και ξεκλείδωσε την πόρτα της εισόδου.

Μπαίνοντας ξοπίσω της στην πολυκατοικία, διαπίστωσε ότι ήταν από κείνα τα παλιά αρχοντικά γεωργιανού ρυθμού στα οποία πολλοί θα λαχταρούσαν να κατοικήσουν αν είχαν την οικονομική ευχέρεια. Για την Κριστίνα όμως δε θα είναι σίγουρα και τόσο σπουδαίο, μια και έχει συνηθίσει να ζει στην πολυτέλεια από τότε που γεννήθηκε, συλλογίστηκε με ένα αλλόκοτο εκνευρισμό που παραξένεψε και τον ίδιο.

Κατευθύνθηκαν προς τον ανελκυστήρα χωρίς να μιλούν. Μπαίνοντας στο θάλαμο όμως, διαπίστωσαν ότι ο χώρος ήταν τόσο περιορισμένος που τα κορμιά τους αναγκάστηκαν να κολλήσουν. Το μόνο που τα χώριζε ήταν το σακ βουαγιάζ της Κριστίνα.

«Πόσο καιρό μένεις εδώ;» τη ρώτησε κάποια στιγμή ο

Ραφαέλ καθώς ανέβαιναν, μόνο και μόνο για να διακόψει την αφύσικη σιωπή που είχε απλωθεί ανάμεσά τους μετά τη χειμαρρώδη συζήτηση τόσων ωρών.

«Δεν είσαι υποχρεωμένος να μου μιλάς μόνο και μόνο για λόγους ευγενείας», τον καθησύχασε η Κριστίνα, έχοντας το βλέμμα καρφωμένο στα κουμπιά, μπροστά της, θέλοντας να αποφύγει τους καθρέφτες στα πλάγια που αντικατόπτριζαν το όχι και τόσο κομψό είδωλό της δίπλα στην τέλεια δική του κορμοστασιά. Εκείνος μετά από οδήγηση τόσων ωρών, εξακολουθούσε να φαντάζει ξεκούραστος, σέξι και έτοιμος για δράση.

Παραληρώ, συνειδητοποίησε ξαφνικά. Μιλάω συνεχώς και ακατάπαυστα! Επειδή σ' εκείνη άρεσε η κουβέντα, είχε υποχρεώσει και τον Ραφαέλ να υποστεί ένα ασυνάρτητο κουβεντολόι. Γιατί δε σκέφτηκε καθόλου, διάβολε, πως ίσως να μην ήταν από τους τύπους που νιώθουν άνετα με τα πολλά λόγια; Άλλωστε και η συμπεριφορά του κάτι τέτοιο έδειχνε σε όλη τη διάρκεια της διαδρομής. Δεν της έκανε και πολλές ερωτήσεις, σωστά; Χώρια που τον έπιασε μια δυο φορές να κοιτάζει το κινητό του. Σχεδόν ανυπόμονα, σαν να ήθελε να το κάνει να χτυπήσει για να σωπάσει εκείνη επιτέλους!

«Τι σε έκανε να το πεις αυτό;»

Ο ανελκυστήρας είχε μόλις σταματήσει κι εκείνοι έβγαιναν στο διάδρομο του τελευταίου ορόφου, όταν η ερώτηση του Ραφαέλ την υποχρέωσε να κοντοσταθεί.

Στην αρχή δεν του απάντησε. Αντίθετα, κατευθύνθηκε αργά μέχρι την πόρτα του σπιτιού της, παρασέρνοντας κι εκείνον μαζί της. Μπήκαν μαζί στο χολ του διαμερίσματος που καταλάμβανε δυο επίπεδα. Στο πρώτο βρισκόταν η είσοδος και η κρεβατοκάμαρα, ενώ μερικά σκαλιά οδηγούσαν στην κουζίνα και το μικρό καθιστικό. Το διαμέρισμα ήταν μικρό αλλά όμορφα διακοσμημένο και εξοπλισμένο στην εντέλεια. Πολλά από τα έπιπλα είχαν ταξιδέψει από την Ιταλία και μόλο που η Κριστίνα δεν είχε ιδέα για την αξία τους, γνώριζε ότι είχαν αγοραστεί από τις εκλεκτές αντικερί που αγαπούσε η μητέρα της.

Αυτή τη στιγμή όμως το πρόβλημά της δεν ήταν τα έπιπλα,

αλλά ο άντρας που στεκόταν δίπλα της και περίμενε υπομονετικά την απάντησή της. Μαζεύοντας το κουράγιο της, πήρε μια βαθιά ανάσα και γύρισε προς το μέρος του, κοιτάζοντας κατευθείαν τα συγκλονιστικά γαλάζια μάτια του.

«Απλώς θεωρώ ότι σε ολόκληρη τη διαδρομή φλυαρούσα ακατάσχετα», παραδέχτηκε με τη συνηθισμένη της ευθύτητα. «Όσο για την υπερβολική μου ειλικρίνεια... πολύ φοβάμαι ότι σε δυσαρέστησε».

«Τι σε κάνει να το λες αυτό;» τη ρώτησε ο Ραφαέλ και κατευθύνθηκε προς τα σκαλιά που οδηγούσαν στο άλλο επίπεδο.

«Πού... πού πηγαίνεις;» μουρμούρισε ξαφνιασμένη η Κριστίνα μόλις ξεπέρασε το πρώτο σοκ.

Ανέβηκε κι εκείνη στο κατόπι του και τον βρήκε στην κουζίνα της να εξετάζει το περιεχόμενο του ψυγείου της το οποίο ήταν γεμάτο από έτοιμα φαγητά και μικρές λιχουδιές που προορίζονταν για να της βελτιώνουν τη διάθεση.

«Δεν έχεις δικαίωμα να κοιτάζεις εκεί μέσα!» του υπέδειξε ενοχλημένη, κλείνοντας απότομα την πόρτα του ψυγείου. «Το ξέρω ότι η διατροφή που ακολουθώ δεν είναι και η πιο υγιεινή του κόσμου, αλλά αυτή την περίοδο...»

Ο Ραφαέλ έμεινε σιωπηλός για λίγο, παρατηρώντας τη με μάτια μισόκλειστα. Εκείνη φορούσε ακόμα το στενό πουλόβερ που τόνιζε τα στήθη της. Όπως στεκόταν τώρα μπροστά του με αναψοκοκκινισμένα μάγουλα και ύφος αμυντικό, θύμιζε κουτάβι που το είχαν πιάσει στα πράσα να μασουλάει τα έπιπλα.

«Δε χρειάζεται να απολογείσαι σε μένα για τις γαστρονομικές σου αδυναμίες», την καθησύχασε μαλακά.

«Δεν απολογούμαι», είπε ψέματα η Κριστίνα. «Απλώς...»

«Το γεγονός ότι έχεις δύο αγγελικές και ουρανόσταλτες αδερφές σού έχει κάνει κακό, σωστά;»

Μόλο που γενικά ο Ραφαέλ απέφευγε να ασχολείται με τη γυναικεία ψυχολογία, αυτή τη φορά ήξερε ότι δεν μπορούσε να αποφύγει την πρόκληση. Η Κριστίνα όμως δεν έδειξε καθόλου να αντιλαμβάνεται για ποιο πράγμα της μιλούσε.

«Δεν έχω ιδέα τι εννοείς», υποστήριξε. «Απλώς εγώ υπέθεσα...» Κάνοντας μια παύση, ανασήκωσε το πιγούνι της με όση αξιοπρέπεια της είχε απομείνει. «Τέλος πάντων, καταλαβαίνω ότι τώρα θα σκέφτεσαι πως κανονικά θα όφειλα να τρώω μόνο σαλάτες και να πίνω πολύ μεταλλικό νερό... Ε, λοιπόν σε πληροφορώ ότι το κάνω! Και μάλιστα πολύ συχνά!»

Ο Ραφαέλ δε βιάστηκε να κάνει κάποιο σχόλιο στα λεγόμενά της. «Ωραία», είπε μόνο ύστερα από λίγο. «Ικανοποιήθηκες τώρα που μου το ξεκαθάρισες;» Καθώς μιλούσε, συνειδητοποίησε με έκπληξη ότι διασκέδαζε τρομερά με τις παιδιάστικες εξηγήσεις της. «Πάντως κι εγώ σε πληροφορώ», συνέχισε απτόητος, «ότι πολλοί άντρες προτιμούν τις γυναίκες τους λίγο... τέλος πάντων όχι και... πολύ λεπτές».

«Αλήθεια;» Ο σαρκασμός στη φωνή της ήταν εντελώς έξω από το χαρακτήρα της αλλά απόλυτα πραγματικός. «Τότε μάθε ότι κανένα από τα περιοδικά ή τις εφημερίδες της χώρας δε συμφωνεί μαζί σου». Η Κριστίνα αναστέναξε. «Ξέρεις, ήμουν πολύ αδύνατη μικρή, αλλά δεν έχω ιδέα τι έπαθα μεγαλώνοντας». Καθώς μιλούσε, ένιωσε έντονα την ανάγκη να ανοίξει το ψυγείο και να καταβροχθίσει ένα κομμάτι τσιζ κέικ που το είχε αγοράσει την Παρασκευή, αλλά συγκρατήθηκε, συνειδητοποιώντας ξαφνικά ότι δεν ήθελε ο Ραφαέλ να σκεφτεί το χειρότερο για κείνη.

Αλλά εκείνος δε φάνηκε διατεθειμένος να την αντιμετωπίσει με αυστηρότητα. «Δε νομίζω ότι είσαι παχιά», της δήλωσε ιπποτικά. «Απλώς λίγο... καμπυλόγραμμη».

Το πρόσωπο της Κριστίνα έλαμψε από βαθιά ευχαρίστηση. «Ακριβώς την ίδια άποψη έχω κι εγώ!» του ανακοίνωσε γελώντας.

Ο Ραφαέλ έμεινε για λίγο να την παρακολουθεί με ύφος αινιγματικό, νιώθοντας προς στιγμήν μια ακαταμάχητη επιθυμία να την αγγίξει και να διαπιστώσει προσωπικά πόσο καμπυλόγραμμη ήταν, να πάρει στα χέρια του τα προκλητικά στήθη της. Αλλά ευτυχώς συνήλθε εγκαίρως.

«Δυστυχώς θα πρέπει να φύγω, αν και διασκεδάζω ειλικρινά. Με περιμένει πολλή δουλειά», είπε κάνοντας μεταβολή.

«Μα είναι Κυριακή», τόλμησε να διαμαρτυρηθεί διστακτικά η Κριστίνα.

«Αυτό να το πεις σε όλο τον υπόλοιπο κόσμο που αγνοεί την αργία της Κυριακής».

Δίχως να πει άλλη λέξη, η Κριστίνα τον ακολούθησε στη σκάλα, προσπαθώντας να αποφασίσει για το αν η γνωριμία τους θα είχε συνέχεια ή όχι. Δε με πειράζει ό,τι κι αν γίνει, κατέληξε. Άλλωστε όσο κι αν τη συγκινούσε το ενδιαφέρον του να τη βοηθήσει και όσο και αν την αναστάτωνε το παρουσιαστικό του, δεν μπορούσε να παραβλέψει όλη αυτή την επιθετικότητα που έκρυβε εκείνος μέσα του. Από την άλλη, εκείνος ήταν εργασιομανής. Πράγμα που σεβόταν, χωρίς ωστόσο να το θεωρεί και σπουδαίο προσόν για έναν άντρα. Οι λιγοστοί δεσμοί που είχε μέχρι σήμερα ήταν με άντρες που της έμοιαζαν. Προτιμούσαν να περνούν τις ώρες τους έξω, παρά κλεισμένοι μέσα σε γραφεία.

Ωστόσο, δεν μπόρεσε να αποφύγει ένα μικρό τσίμπημα στην καρδιά βλέποντας τον Ραφαέλ να ανοίγει την εξώπορτα του σπιτιού της. Έβαλε όμως τα δυνατά της να τον αντιμετωπίσει με άνεση και ευγένεια.

«Σ' ευχαριστώ για όλα όσα έκανες για μένα. Θα στείλω το συντομότερο μια ευχαριστήρια κάρτα και στη μητέρα σου. Πάντως αν τη δεις πριν τη λάβει, σε παρακαλώ μην παραλείψεις να της πεις ότι πέρασα υπέροχα. Νομίζω ότι θα την ξαναδώ τον άλλο μήνα, καθώς έχουν κανονίσει να συναντηθούν με τη μητέρα μου που θα κάνει ένα ταξιδάκι ως εδώ για να με δει».

Έκανε μια παύση, με την ελπίδα πως ο Ραφαέλ θα της πρότεινε να συναντηθούν ξανά. Αλλά εκείνος δεν είπε λέξη. Απλώς έγειρε το κεφάλι στο πλάι, ακούγοντάς τη με ένα συγκαταβατικό χαμόγελο στα χείλη και προκαλώντας της άγχος μήπως είχε αρχίσει ξανά να φλυαρεί. Αυτό όμως δεν την εμπόδισε να του πει: «Και μη δουλεύεις τόσο πολύ». Του χαμογέλασε. «Πού και πού θα σου κάνει καλό να πηγαίνεις μέχρι το πάρκο για περπάτημα. Είναι υπέροχα, ξέρεις, ακόμα και το χειμώνα». Ευτυχώς εκεί έβαλε τελεία, αποφεύγοντας να του περιγράψει τους ενδιαφέροντες ανθρώπους που συναντούσε και τη γαλήνη που ένιωθε κάθε φορά στους περιπάτους της.

«Κι εγώ σ' ευχαριστώ για τις συμβουλές σου. Θα προσπαθήσω να τις ακολουθήσω τις μέρες που το ωράριο εργασίας μου τελειώνει πριν από τις εννιά το βράδυ».

«Τώρα με κοροϊδεύεις!»

«Καθόλου».

Δεν είπαν περισσότερα. Όταν όμως ο Ραφαέλ έφτασε λίγο αργότερα στο διαμέρισμά του στο Τσέλσι, ένιωθε μια υπέροχη χαλάρωση που δεν ήξερε αν οφειλόταν στην Κριστίνα ή στο μονοήμερο ταξίδι του εκτός Λονδίνου.

Σε αντίθεση με τη νεαρή Ιταλίδα, ο ίδιος κατοικούσε σε ένα τεράστιο διαμέρισμα που καταλάμβανε τους δύο τελευταίους ορόφους ενός επιβλητικού κτιρίου με πρόσοψη από κόκκινο τούβλο. Η μινιμαλιστική διακόσμηση δεν άφηνε κανένα περιθώριο για προσωπικές πινελιές. Κοντολογίς, δεν υπήρχαν πουθενά οικογενειακές φωτογραφίες, αναμνηστικά αντικείμενα ή βιβλία ξεχασμένα με ανεμελιά πάνω σε κάποια επιφάνεια. Στο σαλόνι τα μοναδικά έπιπλα που υπήρχαν ήταν δύο ογκώδεις λευκοί καναπέδες, ανάμεσα στους οποίους υπήρχε ένα πανάκριβο, παχύ χαλί. Εκτός από το χαλί και οι πίνακες στους τοίχους ήταν επίσης πανάκριβοι, μόλο που με μια πρώτη ματιά φάνταζαν απλοϊκοί και είχαν θέματα εντελώς κοινότοπα.

Αφού ακούμπησε τη βαλίτσα του στο πάτωμα, γέμισε ένα ποτήρι με νερό και έβαλε σε λειτουργία τον αυτόματο τηλεφωνητή. Είχε λάβει συνολικά εννέα μηνύματα. Τα πρώτα οχτώ τα άκουσε ήρεμος. Το ένατο όμως...

Έβαλε να το ξανακούσει φανερά συγχυσμένος.

Ήταν η Δαλιδά. Πολύ ηλίθιο όνομα, είχε σκεφτεί όταν το είχε ακούσει για πρώτη φορά, αλλά στη συνέχεια το προσπέρασε επειδή γοητεύτηκε από την ομορφιά της κατόχου του. Και δικαιολογημένα. Η Δαλιδά ήταν πολύ ψηλή, με καταπληκτικά χυτά πόδια και αγγελικό πρόσωπο που έκρυβε τέλεια την αληθινή προσωπικότητά της. Η Δαλιδά ήταν υστερική και υποκρίτρια.

Είχαν να ιδωθούν τέσσερις μήνες επειδή του ήταν αδύνα-
τον να ανέχεται δίπλα του τέτοιου είδους θηλυκά. Αλλά να
που μετά από τόσο καιρό, εκείνη εμφανιζόταν πάλι στο
προσκήνιο.

Έξαφνα στο μυαλό του ήρθαν τα λόγια της μητέρας του,
για τις ακατάλληλες γυναίκες που διάλεγε, για το κόλλημά
του με το παρελθόν, για την άδεια ζωή του.

Ο Ραφαέλ βούλιαξε στον καναπέ, έκλεισε τα μάτια και
αναρωτήθηκε για πρώτη φορά μήπως και είχε φτάσει πράγ-
ματι η ώρα να νοικοκυρευτεί.

ΚΕΦΑΛΑΙΟ 3

Αλλά η συγκεκριμένη σκέψη είχε διαγραφεί από το μυαλό του το πρωί της Δευτέρας, όταν ξύπνησε από τον ενοχλητικό ήχο του κινητού...

Στις πέντε τα ξημερώματα!

Επρόκειτο για ένα μήνυμα από τη Δαλιδά με το οποίο τον ενημέρωνε, χρησιμοποιώντας όλες τις συντομογραφίες που ο ίδιος σιχαινόταν, ότι είχε γυρίσει από την Καραϊβική όπου βρισκόταν σε διακοπές και ότι ήταν στη διάθεσή του για να συναντηθούν όποτε ήθελε εκείνος.

Το θέμα ήταν ότι όταν μία σχέση τελείωνε, ο Ραφαέλ προχωρούσε απλώς στην επόμενη. Η Δαλιδά αποτελούσε γι' αυτόν παρελθόν, αλλά επειδή είχαν χωρίσει κάτω από σχετικά περίεργες συνθήκες, την κάλεσε λίγες ώρες αργότερα στο τηλέφωνο για να ξεκαθαρίσει την κατάσταση.

Η συνομιλία τους δεν αποδείχτηκε και τόσο εύκολη. Η σκόπιμη εξαφάνισή του και η παντελής έλλειψη επικοινωνίας μαζί της δεν είχαν σταθεί αρκετά για να εισπράξει εκείνη το μήνυμα. Ξέσπασε σε λυγμούς, κατηγορίες και υβριστικούς χαρακτηρισμούς και στο τέλος απαίτησε να της εξηγήσει ποιο ήταν το λάθος της και την είχε εγκαταλείψει.

Όταν τελείωσε επιτέλους μαζί της η ώρα ήταν περίπου οκτώ. Έκανε στα γρήγορα ένα ντους, έστειλε μερικά μηνύματα από τον υπολογιστή και βγήκε από το σπίτι.

Έξω ήταν ακόμα σκοτεινά και ο υγρός αέρας του βίτσιζε το πρόσωπο με μανία. Γυρεύοντας μια διέξοδο στην άθλια ψυχολογική κατάσταση που τον είχε φέρει η συνομιλία του με τη Δαλιδά, μπήκε σε ένα ανθοπωλείο που παραδόξως ήταν ανοιχτό τόσο πρωί και βρισκόταν λίγο πιο πέρα από το μέγαρο όπου βρισκόταν το διαμέρισμά του.

Ήταν η πρώτη φορά που το πρόσεχε. Η αλήθεια ήταν πως γενικά τέτοιου είδους καταστήματα σπάνια τραβούσαν την προσοχή του καθώς διέσχιζε βιαστικός τον πεζόδρομο που οδηγούσε στο σπίτι του. Αυτή τη φορά όμως, λίγο η φρεσκάδα του χειμωνιάτικου πρωινού και λίγο η μυρωδιά της βρεγμένης γης τον έκαναν να ανοίξει παρορμητικά την πόρτα και να μπει μέσα.

Παρατήρησε ότι ήταν μικρό αλλά ξεχείλιζε από ολόφρεσκα, πολύχρωμα λουλούδια. Στη μια πλευρά υπήρχαν κάνιστρα με ορχιδέες και ο Ραφαέλ ξαφνιάστηκε με τις αμέτρητες ποικιλίες. Αποφάσισε να στείλει μερικές στη Δαλιδά, μαζί με μια κάρτα. Πριν προλάβει όμως να δώσει την παραγγελία, η νεαρή κοπέλα που εκείνη τη στιγμή παραλάμβανε νέο εμπόρευμα, τον ενημέρωσε ότι το κατάστημα θα άνοιγε στις δέκα το πρωί.

«Δε θα το μετανιώσεις αν μου κάνεις μια μικρή εξυπηρέτηση», της είπε μαλακά ο Ραφαέλ και ρίχνοντας μια ματιά στο ρολόι του, έβγαλε από το πορτοφόλι του μερικά χαρτονομίσματα και έδειξε στην υπάλληλο ένα μπουκέτο με ορχιδέες. «Θέλω να παραδοθούν στη διεύθυνση που θα γράψω», πρόσθεσε με σιγουριά και αποφασιστικότητα. Γνωρίζοντας ότι το χρήμα κατάφερνε τα πάντα, σημείωσε στη συνέχεια το δρόμο και τον αριθμό του σπιτιού της Δαλιδά πίσω από μια επαγγελματική του κάρτα και την έδωσε στην κάπως ενοχλημένη υπάλληλο. «Δε θα υπάρξει κανένα πρόβλημα, σωστά;» της επισήμανε στο τέλος με νόημα.

Εκείνη περιορίστηκε να χαμογελάσει αμυδρά. «Κανένα κύριε», του υποσχέθηκε με συγκρατημένη φωνή. «Τι ακριβώς θέλετε να γράφει η κάρτα που θα συνοδεύει τα λουλούδια;»

Ο Ραφαέλ έμεινε για μια στιγμή σκεφτικός. «Θα είσαι καλύτερα χωρίς εμένα. Καλή τύχη. Ρ.» Η κοπέλα έγινε κατακόκκινη και ο Ραφαέλ ένιωσε να το διασκεδάζει. «Δε συμφωνείς ότι αυτή είναι η πιο κατάλληλη χειρονομία για να δώσεις τέλος σε μια σχέση;»

«Όχι! Είναι η πιο απαίσια!»

Ο Ραφαέλ γύρισε απότομα για να δει ποιος είχε μιλήσει και βρέθηκε αντιμέτωπος με δύο επικριτικά, θυμωμένα μάτια. Και τα έχασε. Γιατί η μοίρα τα είχε φέρει έτσι ώστε το μοναδικό ανοιχτό ανθοπωλείο εκείνο το πρωινό του Φλεβάρη να είναι της Κριστίνα. «Αυτό είναι το μαγαζί σου;» τη ρώτησε μόλις ξαναβρήκε τη λαλιά του.

«Άνθια, θα αναλάβω εγώ τον κύριο», απευθύνθηκε η Κριστίνα στην υπάλληλό της πριν του απαντήσει.

Το σίγουρο είναι ότι δε μοιάζει με κανέναν από τους επιχειρηματίες που έχω γνωρίσει μέχρι σήμερα, σκέφτηκε. Βέβαια το κοστούμι του ήταν το κλασικό πανάκριβο γκρίζο ρούχο, αλλά ο τρόπος που το αναδείκνυε το γεροδεμένο κορμί του... Δεν ολοκλήρωσε τη σκέψη της, καθώς στράφηκε προς τον άντρα που έβγαινε εκείνη τη στιγμή από το μικρό γραφείο της που βρισκόταν στο βάθος του μαγαζιού.

«Μπορώ να σου μιλήσω στο τηλέφωνο στη διάρκεια της εβδομάδας;» τον ρώτησε με ένα πλατύ χαμόγελο.

«Όποτε θέλεις μετά τις έξι», της αποκρίθηκε πρόθυμα εκείνος, αγνοώντας τον Ραφαέλ που παρακολούθησε τη σύντομη στιχομυθία μάλλον εκνευρισμένος. Σχεδόν μηχανικά άρχισε να ζυγίζει τον άγνωστο με το βλέμμα του. Ήταν μυώδης σαν αγρότης. Τα μαλλιά του ήταν ίσια και πολύ ξανθά, ενώ στο αυτί του φορούσε ένα σκουλαρίκι που τον καθιστούσε αυτόματα ύποπτο για τις ηθικές αρχές του.

«Ποιος ήταν αυτός;» ρώτησε χωρίς περιστροφές την Κριστίνα μόλις έφυγε ο άγνωστος.

Εκείνη, αντί να του απαντήσει τον κοίταξε αυστηρά. «Τι γυρεύεις εδώ;»

«Εσύ τι λες;» Η φωνή του ακούστηκε στ' αυτιά του περισσότερο επιθετική από όσο ήθελε. «Και δεν απάντησες ακόμα στην ερώτησή μου».

«Άνθια...». Έκπληκτη, η Κριστίνα συνειδητοποίησε ότι η υπάλληλός της είχε όλη αυτή την ώρα τα μάτια της καρφωμένα στον Ραφαέλ. «Γιατί δεν αρχίζεις να κοστολογείς την παραγγελία;» της πρότεινε διακριτικά.

«Ξέρω τι προσπαθείς να κάνεις», κατηγόρησε τον Ραφαέλ ένα λεπτό αργότερα, μόλις πήγαν στο στενόχωρο γραφείο της. «Έρχεσαι και αγοράζεις λουλούδια για να... Αλλά δεν καταλαβαίνω πώς με βρήκες. Γιατί δε θυμάμαι να σου ανέφερα το όνομα του μαγαζιού μου».

«Δε μου το ανέφερες». Άραγε τι θα έλεγαν οι πλούσιοι και σίγουρα υπερπροστατευτικοί γονείς της αν γνώριζαν τι λογής ανθρώπους συναναστρεφόταν το στερνοπαίδι τους; αναρωτήθηκε ο Ραφαέλ. «Έτυχε να βγω έξω και ξαφνικά θυμήθηκα τα λουλούδια που είχα να στείλω».

«Σε κάποια που δεν είναι επιθυμητή τώρα πια, σωστά;» σχολίασε η Κριστίνα, νιώθοντας μια αόριστη συμπάθεια για την άγνωστη παραλήπτρια του πανάκριβου μπουκέτου.

Αλλά ο Ραφαέλ δε φάνηκε διατεθειμένος να της απαντήσει. «Αν ήξερα ότι ήταν δικό σου το μαγαζί, θα είχα πάει αλλού», της δήλωσε ξερά. «Άσε που θεωρώ ότι κανονικά θα έπρεπε να μου ήσουν ευγνώμων για το ακριβό ποδαρικό που σου έκανα! Γιατί δε νομίζω ότι τα ανθοπωλεία στο κέντρο του Λονδίνου πάνε και τόσο καλά».

«Εμείς πάμε θαυμάσια, αν θες να μάθεις! » τον πληροφόρησε κοφτά η Κριστίνα. «Διότι έχουμε εξειδικεύσει το εμπόρευμά μας σε σπάνια είδη φυτών και λουλουδιών». Μόλο που η κακία δεν ταίριαζε καθόλου στη φύση της, δεν μπόρεσε να μην πετάξει ένα μικρό καρφί. «Γι' αυτό και μας προτιμούν οι πλούσιοι άντρες που θέλουν να πουν αντίο σε κάποια πρώην αγαπημένη και νυν ανεπιθύμητη».

«Ο σαρκασμός δε σου πάει Κριστίνα».

«Το ξέρω!» Η Κριστίνα ξεφύσηξε συγχυσμένη. «Εσύ όμως μπορείς να μου εξηγήσεις πώς τολμάς να διαλύεις μία σχέση με ένα μπουκέτο λουλούδια και μια κάρτα; Γραμμένη μάλιστα από τρίτο άτομο;»

Ο Ραφαέλ, που δεν είχε συνηθίσει να τον κριτικάρουν, ενοχλήθηκε. «Κι εσύ με ποιο δικαίωμα παρακολουθείς τι κάνουν οι πελάτες; Θεωρείς ότι η δική σου τακτική είναι σωστότερη;»

Η αντεπίθεσή του θα πρέπει να βρήκε το στόχο της, γιατί εκείνη χαμήλωσε τα μάτια της. «Κρυφάκουσα κατά λάθος», του ομολόγησε με ένοχο ύφος. «Αναγνώρισα τη φωνή σου που είναι πολύ χαρακτηριστική και...» Αναρωτιόταν αν θα ήταν πρέπον να τον ρωτήσει για την άγνωστη που θα λάβαινε τα λουλούδια, όταν άκουσε την επόμενη φράση του.

«Πιστεύεις ότι θα μπορούσε η υπάλληλός σου να κρατήσει μόνη το μαγαζί για λίγη ώρα;» τη ρώτησε ο Ραφαέλ αν και ήξερε ότι αυτό σήμαινε πως θα υποχρεωνόταν ο ίδιος να ακυρώσει ένα επαγγελματικό ραντεβού, κάτι που δεν είχε κάνει ως τώρα για χάρη καμιάς γυναίκας.

Ωστόσο η Κριστίνα είναι ειδική περίπτωση, είπε στον εαυτό του. Ήταν τόσο αθώα που είχε κάθε λόγο να νιώθει υποχρεωμένος να την ενημερώσει για την αναξιοπιστία των Λονδρέζων.

«Για ποιο λόγο;»

«Θα μπορούσαμε να πιούμε έναν καφέ σε μια καφετέρια εδώ κοντά. Την είδα καθώς ερχόμουν».

«Μα δε θα έπρεπε αυτή την ώρα να βρίσκεσαι στη δουλειά σου;»

«Ξεχνάς ότι μου ανήκει η επιχείρηση;» Στην πραγματικότητα κανένας στο γραφείο δε θα πίστευε ότι είχε καθυστερήσει για να πιει καφέ, σκέφτηκε σαρκαστικά ο Ραφαέλ. Όσο για την Πατρίτσια, θα πίστευε ότι είχε αρρωστήσει βαριά.

Η Κριστίνα τον περιεργάστηκε για λίγο με φανερή καχυποψία.

«Σε προειδοποιώ ότι είμαι αποφασισμένη να σου μάθω πώς θα πρέπει να συμπεριφέρεσαι στις γυναίκες», του δήλωσε στο τέλος δήθεν ψυχρά, μια και η προοπτική να βγει έξω μαζί του έστω και για έναν καφέ, έκανε την καρδιά της να ξεχειλίζει από χαρά. «Μετά απ' αυτό, είσαι εντελώς σίγουρος ότι τον θέλεις ακόμα εκείνον τον καφέ;»

«Φτάνει να μου δώσεις λίγο χρόνο για να ειδοποιήσω τη γραμματέα μου...»

Όπως ακριβώς το είχε φανταστεί ο Ραφαέλ, η Πατρίτσια

φάνηκε να τα χάνει ακούγοντάς τον να της δηλώνει πως θα καθυστερούσε. Μα τι στο καλό; αναρωτήθηκε συγχυσμένος καθώς έκλεινε το κινητό. Θεωρούσαν τόσο δεδομένη την παρουσία του που αισθάνονταν ότι όλα θα καταστρέφονταν αν έλειπε για λίγο; Και τι θα συνέβαινε αν αποφάσιζε να πάρει άδεια λίγες μέρες για να ξεκουραστεί; Θα πνίγονταν σε μια κουταλιά νερό;

* * *

«Ωραία, σε ακούω. Μπορείς να αρχίσεις το κήρυγμα».

«Το ξέρω πως δεν έχω δικαίωμα να σου τα ψάλλω...».

«Ευτυχώς». Με ένα λοξό χαμόγελο στα χείλη, ο Ραφαέλ έριξε μια κλεφτή ματιά στην Κριστίνα που απολάμβανε την πάστα της μαζί με έναν καυτό καπουτσίνο. Η ικανοποίηση που καθρεφτιζόταν στο πρόσωπό της αποτελούσε μια ευχάριστη αλλαγή για τον ίδιο, μια και είχε βαρεθεί να βγαίνει συνεχώς με γυναίκες που μετρούσαν σχολαστικά την κάθε θερμίδα.

Όσο πιο διακριτικά μπορούσε, άρχισε να περιεργάζεται το ντύσιμό της. Αυτή τη φορά εκείνη δε φορούσε τζιν και πουλόβερ, αλλά μια φόρμα κηπουρικής και ένα τεράστιο μπουφάν που την έκανε να δείχνει ολοστρόγγυλη. Σίγουρα όχι επειδή δεν έχει χρήματα να αγοράσει άλλα ρούχα, συμπέρανε αυτόματα ο Ραφαέλ, αλλά από την τάση της να βρίσκεται στο άλλο άκρο από τις δύο άψογες και ιδανικές αδερφές της.

«Συνήθως δεν έχω την τάση να τα ψέλνω στους ανθρώπους».

«Τότε για ποιο λόγο να αλλάξεις συνήθεια;»

«Κι εσύ για ποιο λόγο ξαπόστειλες την κοπέλα;» του αντιγύρισε η Κριστίνα, απολαμβάνοντας μια μπουκιά από το ονειρεμένο γλυκό της. «Τι λάθος έκανε τέλος πάντων;»

«Για μια στιγμή...» Ο Ραφαέλ την κάρφωσε με το βλέμμα του. «Είσαι σίγουρη ότι ζεις στον πραγματικό κόσμο;»

«Γιατί το λες αυτό;»

«Διότι απλούστατα η κοπέλα δεν έκανε κανένα λάθος».

«Εννοείς ότι απλώς τη βαρέθηκες;»

«Καμιά φορά συμβαίνει κι αυτό. Οι άνθρωποι χάνουν το

ενδιαφέρον τους ο ένας για τον άλλον. Όσο για τη Δαλιδά...
ήταν απλώς ακατάλληλη».

«Είναι πολύ σκληρό αυτό που λες, Ραφαέλ».

«Το στόμα σου έχει λερωθεί με σαντιγί». Πιάνοντας με
φυσικότητα την πετσέτα της, ο Ραφαέλ το σκούπισε απαλά
κάτω από το κατάπληκτο βλέμμα της. «Μην ανησυχείς και
δεν πρόκειται να σου ριχτώ», την καθησύχασε στη συνέχεια,
διασκεδάζοντας τρομερά με την αντίδρασή της. «Και δε συμ-
φωνώ ότι είμαι σκληρός», συνέχισε, επιστρέφοντας στο θέμα
που συζητούσαν. «Η Δαλιδά κι εγώ είχαμε μια σύντομη σχέση
με προκαθορισμένη ημερομηνία λήξης. Δεν της υποσχέθηκα
ποτέ το παραμικρό και είναι κρίμα που εκείνη δεν πήρε στα
σοβαρά τους όρους που διέπουν τέτοιου είδους γνωριμίες».

«Λυπάμαι».

«Για ποιο πράγμα;» αναφώνησε εκνευρισμένος ο Ραφαέλ,
αδιαφορώντας για τη συμπάθεια που χρωμάτιζε τη φωνή
της. «Να λυπάσαι», συνέχισε, σκύβοντας προς το μέρος της,
«όταν δυο άνθρωποι που θέλουν αληθινά να είναι μαζί για
όλη την υπόλοιπη ζωή τους ανακαλύπτουν τη σκληρή πραγ-
ματικότητα. Όταν τα όνειρα και οι προσδοκίες τους πεθαί-
νουν», κατέληξε έντονα, μόλο που δεν είχε ιδέα για ποιο λόγο
μοιραζόταν μαζί της την προσωπική φιλοσοφία του σχετικά
με τις ανθρώπινες σχέσεις, σκάβοντας έτσι το λάκκο του με
τα ίδια του τα χέρια.

«Θέλεις να πεις ότι εσύ δεν ερωτεύτηκες ποτέ;»

Ακούγοντας την ερώτησή της, ο Ραφαέλ ένιωσε ένα σφίξιμο
στην καρδιά. Γιατί ναι, είχε ερωτευτεί. Την Έλεν. Άθελά του
την έφερε στο μυαλό του έτσι όπως τη διατηρούσε στη μνήμη
του. Όμορφη, αιθέρια, παθιασμένη στον έρωτα και γεμάτη
υποσχέσεις. Ήταν τρελός μαζί της, μέχρι που ο χρόνος έφερε
στην επιφάνεια το αληθινό της πρόσωπο.

«Κι εσύ; Ερωτεύτηκες;» της αντέστρεψε την ερώτηση, δί-
χως να της δώσει απόκριση.

Βλέποντας τα γλυκά, σοκολατένια μάτια της να πλημμυρί-
ζουν από τρυφερότητα και προσδοκία, δεν μπόρεσε να
συγκρατήσει το ξάφνιασμά του.

«Όχι. Φυλάω τον εαυτό μου για κάποιον ξεχωριστό. Θέλω να πω...» Αμέσως η Κριστίνα προσπάθησε να τα μπαλώσει. «... Ότι δεν κάνω σχέσεις δεξιά κι αριστερά».

«Τι σημαίνει ότι φυλάς τον εαυτό σου;» Ανασηκώνοντας ξαφνιασμένος τα φρύδια του, ο Ραφαέλ την κοίταξε ειρωνικά. «Μη μου πεις ότι είσαι ακόμα παρθένα!» Μόλο που του ήταν αδύνατον να το πιστέψει, η ταραχή της έδιωξε κάθε αμφιβολία του.

Αλλά η Κριστίνα έσπευσε να το αρνηθεί με τρόπο κατηγορηματικό.

«Όχι δεν είμαι!» υποστήριξε με πάθος και κάρφωσε το βλέμμα της στον καπουτσίνο της. «Και τι πειράζει αν είμαι;» μουρμούρισε στη συνέχεια με ύφος αμυντικό. «Δε βλάπτω κανέναν!»

«Απλώς είναι κάτι εντελώς ασυνήθιστο...» παρατήρησε αμήχανα ο Ραφαέλ. Για έναν άντρα που είχε συνηθίσει μέχρι τότε να θεωρεί τις προσωπικές εκμυστηρεύσεις ως ένδειξη αδυναμίας, σκέφτηκε ότι απολάμβανε για πρώτη φορά μια τέτοια συζήτηση.

Η Κριστίνα όμως, μετά την ομολογία της αισθανόταν απαίσια. Διότι αυτό που του είχε μόλις πει, ήταν κάτι που δεν είχε το είχε αποκαλύψει ούτε στις ίδιες τις αδερφές της! Και τώρα το ήξερε ο Ραφαέλ ο οποίος είχε συνηθίσει να θεωρεί το σεξ εντελώς ασήμαντη υπόθεση! Το γεγονός μάλιστα ότι εκείνος δεν είχε γελάσει μαζί της, έκανε τα πράγματα ακόμα χειρότερα! Γιατί η σιωπή του έδειχνε τι σκεφτόταν πραγματικά για κείνη!

«Καταλαβαίνω ότι θα με θεωρείς εντελώς αποτυχημένη», είπε σιγανά και ανασήκωσε το κεφάλι της, προσπαθώντας να συγκρατήσει τα δάκρυά της.

«Αποτυχημένη... Δε θα το έλεγα». Καθώς μιλούσε, ο Ραφαέλ έγειρε αργά προς το μέρος της. «Εκείνο που με μπερδεύει είναι... Πώς και δεν μπήκες ποτέ στον πειρασμό;»

Η Κριστίνα γύρισε νευρικά το βλέμμα της αλλού.

«Δε μου αρέσει να μιλάω γι' αυτό», μουρμούρισε αμήχανη.

«Ειλικρινά, δεν ξέρω πώς... Είναι κάτι που δεν το έχω πει ούτε στις αδελφές μου».

Ωστόσο κατά βάθος γνώριζε καλά γιατί το είπε στον Ραφαέλ. Επειδή υπήρχε κάτι πάνω του που την τραβούσε πολύ, οδηγώντας τη σε αντιδράσεις ανεξέλεγκτες. Λες κι εκείνος είχε αφυπνίσει κάτι άγνωστο και δυνατό μέσα της, κάτι σκοτεινό, την ύπαρξη του οποίου η ίδια μέχρι τότε αγνοούσε εντελώς.

«Δεν ήθελα να σου το μαρτυρήσω», είπε αδέξια.

«Μην ανησυχείς και το μυστικό σου είναι ασφαλές μαζί μου».

«Υποθέτω ότι τώρα θα αναρωτιέσαι... γιατί».

«Δε θα το αρνηθώ». Καταπνίγοντας με δυσκολία τον πόθο που εντελώς αναπάντεχα ένιωσε για το κορμί της, ο Ραφαέλ προσπάθησε να υπενθυμίσει στον εαυτό του το λόγο που τον είχε σπρώξει να την καλέσει για καφέ. «Τώρα που ανοιχτήκαμε μεταξύ μας...» συνέχισε με τη βεβαιότητα ότι ήταν πλέον πιεστική η ανάγκη να της εξηγήσει κάποια πράγματα, αλλά η Κριστίνα δεν τον άφησε να συνεχίσει.

«Δε νομίζω ότι εσύ ανοίχτηκες καθόλου», του είπε ήρεμα.

«Δε μου είπες ακόμα με ποιον ήσουν κλεισμένη στο γραφείο όσο η δύσμοιρη υπάλληλός σου αγωνιζόταν να διεκπεραιώσει τα πάντα μόνη της».

«Μα... η Άνθια είναι πολύ ικανή», σχολίασε ξαφνιασμένη η Κριστίνα, μη μπορώντας να εξηγήσει από πού είχε προκύψει η αιφνιδιαστική αλλαγή θέματος.

«Δεν είναι τα προσόντα της Άνθιας αυτό που με απασχολεί, αλλά ο άντρας που βρισκόταν στο γραφείο σου», της διευκρίνισε ο Ραφαέλ. «Δεν είχε έρθει εκεί για να σου πουλήσει λουλούδια, σωστά;»

«Ο Μάρτιν; Όχι δεν ήρθε γι' αυτό».

Ο Μάρτιν; Ο Ραφαέλ τέντωσε τα αυτιά του. Εκείνη τον ανέφερε με το μικρό του όνομα; Έχοντας τώρα ο ίδιος επίγνωση της απειρίας της στα ερωτικά και γνωρίζοντας καλά τι είδους αρπακτικά κυκλοφορούσαν στο Λονδίνο, μπόρεσε επιτέλους να κατανοήσει την ανησυχία της μητέρας του για τη νεαρή φίλη της, καθώς και την παράκληση που του είχε απευθύνει τη στιγμή που τον αποχαιρετούσε, να την έχει το νου του.

Γιατί η Κριστίνα δεν ήταν μόνο αθώα, αλλά και επικίνδυνα καλοπροαίρετη.

Θα πρέπει να την εκπαιδεύσω να χρησιμοποιεί τις ασφαλιστικές δικλείδες του μυαλού της προκειμένου να αποφεύγει τις παγίδες, αποφάσισε.

«Ώστε Μάρτιν τον λένε». Αναστενάζοντας, ο Ραφαέλ έγειρε πίσω στην καρέκλα του και μελέτησε το ξαναμμένο πρόσωπό της. «Συγνώμη αν σου δίνω την εντύπωση ότι παριστάνω τον πολύξερο, αλλά η αλήθεια είναι ότι έχω πολύ μεγαλύτερη πείρα από σένα. Γι' αυτό και παίρνω το θάρρος να σε ρωτήσω πόσο καιρό τον γνωρίζεις».

«Ποιον; Τον Μάρτιν;»

«Ποιον άλλον λες να εννοώ;» είπε ο Ραφαέλ ελαφρά εκνευρισμένος.

«Ε... όχι πολύ». Τα μάγουλα της Κριστίνα κοκκίνισαν ακόμα περισσότερο. «Για την ακρίβεια, τον γνώρισα χθες βράδυ, όταν απάντησε σε μια αγγελία που δημοσίευσα στην εφημερίδα».

«Έβαλες αγγελία στην εφημερίδα;» Αυτή τη φορά του ήταν αδύνατον να κρύψει τον τρόμο του. «Έχεις ιδέα πόσο επικίνδυνο είναι αυτό; Μα καλά, οι γονείς σου δε σου έμαθαν τίποτα για τον αληθινό κόσμο; Σε προστάτευαν πάντα τόσο...»

«Δεν καταλαβαίνω τι υπονοείς, Ραφαέλ!» τον διέκοψε απότομα η Κριστίνα.

«Υπονοώ ότι δεν είναι δυνατόν να αναζητάς ερωτικό σύντροφο μέσω αγγελιών», της εξήγησε ο Ραφαέλ με το ύφος ανθρώπου που προσπαθεί να εξηγήσει το αυτονόητο σε ένα άτομο περιορισμένης αντίληψης. «Αν θέλεις τη γνώμη μου, αυτός ο Μάρτιν μοιάζει με κακοποιό. Επιπλέον φοράει και σκουλαρίκι!»

«Μα η αγγελία δεν αφορούσε...»

«Είσαι άπειρη, Κριστίνα, και έτοιμη να εμπιστευτείς λάθος ανθρώπους», τη διέκοψε αποφασιστικά ο Ραφαέλ.

«Μπορεί, αλλά δεν είμαι εντελώς ηλίθια», δήλωσε κοφτά εκείνη.

«Όχι, δεν είναι ηλίθια, αλλά καλά θα κάνεις να αξιοποιήσεις τη φιλική μου συμβουλή».

«Δεν τη χρειάζομαι!»

Φυσικά ο Ραφαέλ δεν την πίστεψε. Εκείνη, ακόμα και μ' αυτά τα άκομψα ρούχα που φορούσε, θα μπορούσε εύκολα και απολύτως εν αγνοία της να αποτελέσει το θύμα μια φρικτής τραγωδίας, δεδομένου ότι διέθετε πλούσιες καμπύλες που θα μπορούσαν εύκολα να ξυπνήσουν την ερωτική πείνα ενός αρσενικού. Και το πρόσωπό της είχε κάτι το πολύ θηλυκό μ' αυτά τα τεράστια μάτια, τις μακριές βλεφαρίδες και το τρυφερό στόμα. Το κακό ήταν ότι εκείνη δεν είχε αντιληφθεί πόσο ελκυστική ήταν επειδή χαράμιζε τη φαιά της ουσία στην κόντρα με τις αδερφές της. Και τώρα ο ίδιος δεν είχε το χρόνο να της το εξηγήσει επειδή βιαζόταν να πάει στο γραφείο του.

Βλέποντάς τον να κοιτάζει το ρολόι του, η Κριστίνα θυμήθηκε την παραγγελία που είχε να στείλει σε ένα μεγάλο ξενοδοχείο, για ένα συνέδριο.

«Πρέπει να φύγω», είπε με σιγανή φωνή και πετάχτηκε όρθια.

Αν και ο Ραφαέλ ετοιμαζόταν να πει ακριβώς το ίδιο, ενοχλήθηκε που εκείνη τον πρόλαβε, επειδή δεν ήταν συνηθισμένος να τον παρατούν.

«Πάντως δεν προλάβαμε να ολοκληρώσουμε τη συζήτησή μας», της θύμισε λίγο αργότερα, καθώς διέσχιζαν τον πεζόδρομο όπου βρισκόταν το ανθοπωλείο της.

Εκείνη στράφηκε προς το μέρος του και του χαμογέλασε λυπημένα. «Το ξέρω, αλλά δε μου άρεσε η πορεία που είχε πάρει».

Τελικά είναι εντελώς απρόβλεπτη, σκέφτηκε ο Ραφαέλ ακούγοντάς την. Ποτέ δεν μπορείς να είσαι προετοιμασμένος για την ατάκα της.

Κατά βάθος δεν μπορούσε να πει με σιγουριά αν αυτό τον δυσαρεστούσε ή το έβρισκε ευχάριστο. Έχοντας εξοικειωθεί με μια επιτηδευμένη και ψεύτικη γυναικεία συμπεριφορά, δυσκολευόταν να προσαρμοστεί στις ειλικρινείς αντιδράσεις της Κριστίνα.

Αγνοώντας τις σκέψεις που περνούσαν από το μυαλό του, εκείνη θεώρησε πως είχε χρέος να του ξεκαθαρίσει τη θέση της. «Με κατηγόρησες ότι δεν είμαι σε θέση να κρίνω τους ανθρώπους. Μόλο που γνωρίζω ότι το λες από ενδιαφέρον, το θεωρώ αρκετά προσβλητικό».

«Προσβλητικό; Δεν καταλαβαίνω πώς στο καλό σού ήρθε αυτό! Και μάλιστα όταν αναγνωρίζεις ότι η μοναδική μου πρόθεση ήταν να σε βοηθήσω! Τότε εγώ τι να πω για την προσβολή που δέχτηκα όταν υπονόησες ότι δε φέρομαι σωστά στις γυναίκες!»

Παρά την ολοφάνερη αναστάτωσή του, η Κριστίνα δεν ένιωσε καμία διάθεση να του χαριστεί.

«Αν είχες δώσει λίγο περισσότερη βαρύτητα σε όσα σου είπα, θα είχες αντιληφθεί το λάθος σου».

«Δηλαδή επιμένεις στην άποψή σου;» Ορίστε τώρα που ήταν έτοιμη να τον πείσει ότι αντιλαμβανόταν περισσότερα από κείνον! Αλλά καλά να πάθει, αφού ήταν ηλίθιος και ήθελε να τη βοηθήσει! Μάρτυς του ο Θεός, αλλά δε θα έκανε ξανά τον καλό Σαμαρείτη!

«Πρώτα απ' όλα ας ξεκαθαρίσουμε το θέμα που με αφορά», του πρότεινε κοφτά εκείνη. «Λοιπόν, την αγγελία δεν την έβαλα για να βρω σύντροφο, δεδομένου ότι και οι πιο ηλίθιοι γνωρίζουν πως στις μέρες μας αυτές οι δουλειές γίνονται μέσα από το Ίντερνέτ!»

«Τι μου λες!»

Η Κριστίνα αγνόησε την ειρωνεία του. «Ήθελα απλώς να διερευνήσω αν υπάρχει δυνατότητα να αναλάβω την προπόνηση μια γυναικείας ποδοσφαιρικής ομάδας. Ο Μάρτιν ανταποκρίθηκε επειδή είναι και ο ίδιος προπονητής σε κάποια σχολεία της περιοχής. Σκέφτηκε ότι ίσως οι μαθήτριες να έδειχναν μεγαλύτερο ενδιαφέρον για το άθλημα με μια γυναίκα στη θέση του προπονητή!»

Ο Ραφαέλ δάγκωσε αμήχανος τα χείλη του. «Θα έπρεπε να μου το είχες πει από την αρχή», είπε μουτρωμένος.

Η Κριστίνα δεν είπε τίποτα μέχρι που έφτασαν μπροστά στο ανθοπωλείο. Τότε γύρισε προς το μέρος του και πήρε μια

βαθιά ανάσα. «Καταλαβαίνω ότι ίσως να νιώθεις λίγο υ-
πεύθυνος για μένα λόγω της φιλίας που δένει τους γονείς
μας», αναγνώρισε ευγενικά, αν και αυτό το ενδεχόμενο της
άφηνε μια πικρή γεύση στο στόμα. «Όπως βλέπεις όμως,
είμαι αρκετά λογική και προσεκτική».

«Δηλαδή απέκτησες ήδη και δεύτερη δουλειά», σχολίασε ο
Ραφαέλ, αλλά την ανησυχία του για το αν είχε υπόψη της
εκείνη πόσο επικίνδυνα ήταν ορισμένα σχολεία του Λονδίνου,
την έδιωξε η σκέψη ότι δεν είχε καμία προσωπική σχέση μαζί
της, συνεπώς και καμία ευθύνη.

«Όχι ακόμη». Άνοιξε την πόρτα του ανθοπωλείου κι εκείνος
την ακολούθησε. Τα εξωτικά αρώματα που πλανιόνταν στην
ατμόσφαιρα ήταν μεθυστικά. «Ανέλαβα απλώς και εντελώς
εθελοντικά να προπονήσω δύο τάξεις την Τρίτη, αμέσως
μετά την ολοκλήρωση των μαθημάτων. Ο Μάρτιν δεν είναι
σίγουρος για τη συμμετοχή των κοριτσιών, αλλά θέλει πολύ
να πετύχει το όλο εγχείρημα».

«Και πού βρίσκεται το σχολείο;»

Το χαμόγελο που του χάρισε φώτισε ολόκληρο το πρόσω-
πό της.

«Λίγο πιο πάνω. Είναι τόσο κοντά που δε θα είναι πρόβλη-
μα να αφήνω για λίγο μόνη την Άνθια. Θα είμαι ξανά πίσω
στις πέντε. Δεν έχεις ιδέα πόσο ανυπομονώ να αρχίσω! Είμαι
σίγουρη ότι η άσκηση θα μου κάνει πολύ καλό!»

«Δεν μπορώ να εκφράσω άποψη με τόσα ρούχα που
φοράς».

Παρ' όλο που η δήλωση του Ραφαέλ είχε γίνει με ύφος
αδιάφορο και με απόλυτη φυσικότητα, εκείνη ζαλίστηκε
νιώθοντας τα μάτια του να τη γδύνουν.

«Θα πρέπει να πας κάποια στιγμή στο γραφείο σου», του
υπενθύμισε μαλακά.

Και ο Ραφαέλ το έκανε. Ολόκληρο το πρωινό εργάστηκε
σκληρά παρ' ότι του ήταν δύσκολο να συγκεντρωθεί. Μάλι-
στα πολλές φορές έπιασε την ιδιαιτέρα του να τον κοιτάζει
ανήσυχη με την αλλόκοτη συμπεριφορά του.

Αλλά δεν υπήρχε λόγος ανησυχίας. Σ' ολόκληρη τη ζωή του

είχε συνηθίσει να χωρίζει τις ενασχολήσεις του σε κατηγορίες. Η δουλειά ήταν μια κατηγορία και οι γυναίκες μια άλλη. Δεν έμπλεκαν ποτέ μεταξύ τους.

Αλλά η Κριστίνα ήταν μπελάς.

Πάνω σ' αυτό δεν έτρεφε την παραμικρή αμφιβολία ούτε και την επόμενη μέρα, καθώς ζητούσε από τη γραμματέα του να του ακυρώσει όλα του τα ραντεβού μετά τις τέσσερις, προκειμένου να παραστεί στη δεξίωση μιας γκαλερί με πανάκριβα έργα τέχνης, όπου ήταν πολύ πιθανόν να συναντήσει μερικούς χρήσιμους ανθρώπους.

Μόνο που προηγουμένως κάτι τον έτρωγε να βεβαιωθεί ότι η συνάντηση της Κριστίνα με τον άγνωστο προπονητή θα πήγαινε καλά. Ίσως να με ωθεί η επιθυμία μου να κάνω ό,τι καλύτερο μπορώ προκειμένου να νιώθει η μητέρα μου χαρούμενη, σκέφτηκε και ικανοποιημένος με το λογικό συμπέρασμά του, έβαλε ένα ουίσκι και κάθισε ξανά στο γραφείο του. Έτσι, κανένας δε θα μπορούσε πια να τον κατηγορήσει ότι φερόταν υποτιμητικά στις γυναίκες ή ότι στερούνταν αλτρουισμού. Γιατί παρ' όλο που επί πολλά χρόνια πρόσφερε μεγάλα χρηματικά ποσά για αγαθοεργίες, ποτέ δεν είχε αναλάβει να βοηθήσει κάποιον προσωπικά. Όπως τώρα που αισθανόταν έτοιμος να συμπαρασταθεί σε μια ανήμπορη, η οποία όμως αρνιόταν να παραδεχτεί ότι χρειαζόταν βοήθεια.

Στις τέσσερις και μισή όμως που ετοιμάστηκε να φύγει από το γραφείο, η Πατρίτσια του ανακοίνωσε σκεφτική ότι της προκαλούσε την ίδια ανησυχία όντας χαρούμενος όπως τώρα, όσο και μουτρωμένος.

«Φοβάμαι μήπως και έχουμε μια νέα περίπτωση Φιόνα», κατέληξε με σημασία και ο Ραφαέλ γέλασε με την ψυχή του.

Η Φιόνα ήταν μια πρώην φιλενάδα του η οποία ερχόταν στο γραφείο και δημιουργούσε σκηνές. Η μοναδική επαφή που είχε η Πατρίτσια με τις ερωμένες του ήταν η αποστολή δώρων και λουλουδιών, εκτός από τη Φιόνα, την οποία υποχρεωτικά είχε γνωρίσει προσωπικά.

«Λες να είμαι τόσο ηλίθιος;» μουρμούρισε ο Ραφαέλ καθώς

φορούσε το πανωφόρι του, αλλά η Πατρίτσια παρέμεινε ατάραχη.

«Γιατί όχι; Οι περισσότεροι άντρες είναι», σχολίασε ξερά.

«Εκτός φυσικά από τον Τζεφ. Σου έχω πει αλήθεια πόση συμπόνια τρέφω για τον ταλαίπωρο σύζυγό σου;»

«Άπειρες φορές. Αλλά ποια είναι; Θα της στείλω σύντομα το μπουκέτο με τα κόκκινα τριαντάφυλλα;»

Ο Ραφαέλ έμεινε για λίγο σκεφτικός προτού της απαντήσει. Κι αυτό επειδή τον τελευταίο καιρό έβλεπε άσχημα όνειρα. Τον εαυτό του παππού να κυνηγάει λαχανιασμένος κοπελίτσες. Ήταν ένας δυστυχισμένος άνθρωπος. Πράγμα που δεν του άρεσε διόλου.

«Δεν πρόκειται για ειδύλλιο, αλλά για μια φιλική υποχρέωση που έχω αναλάβει», ανακοίνωσε τελικά στη γραμματέα του.

Εκείνη κούνησε επιδοκιμαστικά το κεφάλι. «Ελπίζω να αξίζει τον κόπο», παρατήρησε.

«Αυτό είναι κάτι που θα πρέπει να περιμένουμε για να το μάθουμε», της αποκρίθηκε ο Ραφαέλ σμίγοντας ελαφρά τα φρύδια του.

Όταν βγήκε στο δρόμο, διαπίστωσε ότι έκανε πολύ κρύο και πως ο ουρανός είχε ήδη αρχίσει να σκοτεινιάζει. Για μια στιγμή σκέφτηκε να σταματήσει ένα ταξί, αλλά στη συνέχεια αποφάσισε ότι λίγος ποδαρόδρομος θα του έκανε καλό. Άθελά του νοστάλγησε την εποχή που ασχολιόταν συστηματικά με τα σπορ, απολαμβάνοντάς τα με την ψυχή του. Προτού η δουλειά να απορροφήσει όλο το χρόνο του και μαζί τη ζωή του.

Παρασυρμένος από τις σκέψεις του, ούτε που κατάλαβε για πότε έφτασε στο σχολείο, το όνομα του οποίου είχε φροντίσει να ανακαλύψει η Πατρίτσια. Φυσικά δεν παραξενεύτηκε καθόλου όταν διαπίστωσε ότι το σχολικό γήπεδο δε βρισκόταν στον ίδιο χώρο, αλλά ένα τέταρτο δρόμο παρακάτω. Μια πολύ εξυπηρετική κυρία που καθόταν σε ένα γραφείο, στην είσοδο του σχολείου, του έδωσε πληροφορίες για το πώς θα έφτανε ως εκεί και τον ενημέρωσε ότι η προπόνηση είχε αρχίσει πριν από είκοσι λεπτά.

Μπαίνοντας στο γήπεδο, ο Ραφαέλ δυσκολεύτηκε να ξεχωρίσει την Κριστίνα κάτω από τα μεγάλα φώτα. Ώσπου την εντόπισε περικυκλωμένη από ένα τσούρμο μαθήτριες που έσερναν τα πόδια τους κάτω από τις ιαχές των αγοριών που ήταν καθισμένα στις κερκίδες.

Δεν είναι πολύ δυνατές και έμπειρες, αλλά είναι αρκετά αποτελεσματικές, συλλογίστηκε καθώς ακολουθούσε με το βλέμμα μερικές απ' αυτές να εγκαταλείπουν τον αγωνιστικό χώρο και να ανεβαίνουν στις κερκίδες για να χασκογελάσουν με τα αγόρια, αδιαφορώντας για τα παραγγέλματα της Κριστίνα.

Το πρώτο που αισθάνθηκε ήταν μια πρωτόφαντη και ως τότε άγνωστη παρόρμηση να της συμπαρασταθεί και να την προστατεύσει. Αφού ανακάλυπτε προηγουμένως τον άντρα με το σκουλαρίκι, ο οποίος όμως δε φαινόταν πουθενά.

Όταν σιγουρεύτηκε ότι ήταν απών, ο Ραφαέλ κατευθύνθηκε με μεγάλες δρασκελιές προς το κέντρο του γηπέδου, όπου ο αριθμός των παικτριών είχε ήδη μειωθεί δραματικά. Αν καθυστερούσε λίγο ακόμα, η Κριστίνα θα έμενε στον αγωνιστικό χώρο ολομόναχη. Ο φίλτατος Μάρτιν που της είχε δώσει τόσες υποσχέσεις, προφανώς μόνο λόγια ήταν.

Ικανοποιημένος που είχε επιβεβαιωθεί η άποψή του γι' αυτόν — ο οποίος δεν ήταν βέβαια κακοποιός αλλά το δίχως άλλο αποτυχημένος—, ο Ραφαέλ κατευθύνθηκε προς το μέρος της Κριστίνα που δεν τον είχε δει ακόμα, όντας απορροφημένη από την προσπάθεια να πείσει όσα κορίτσια έπαιζαν ακόμα, να παραμείνουν στο παιχνίδι.

Ωστόσο εκείνη, μόλο που του είχε την πλάτη γυρισμένη, διαισθάνθηκε την παρουσία του επειδή σιγά σιγά η καζούρα σταμάτησε και είδε όλα τα κορίτσια να καρφώνουν τα μάτια τους ξαφνικά πάνω από τον αριστερό της ώμο.

Ο Ραφαέλ τις είχε γοητεύσει. Απόλυτα σίγουρος για το κατόρθωμά του, χάρισε ένα γρήγορο χαμόγελο στην Κριστίνα που είχε μείνει άφωνη και ανέλαβε δράση.

ΚΕΦΑΛΑΙΟ 4

Αν και η Κριστίνα δεν ήξερε τι ακριβώς έπρεπε να περιμένει, ήταν αδύνατον να μην απογοητευτεί διαπιστώνοντας ότι δεν υπήρξε ο παραμικρός προγραμματισμός. Ο Μάρτιν είχε α-πλώς αναφέρει στις μαθήτριες ότι θα ερχόταν να τις προ-πονήσει μια γυναίκα με προοπτική να δημιουργηθεί μια γυ-ναικεία ποδοσφαιρική ομάδα και είχε καταγράψει κάποιες συμμετοχές. Αυτό ήταν όλο.

Φτάνοντας εκείνη στο σχολείο για να συναντήσει την ομάδα της, είχε βρει τον Μάρτιν να κάθεται κυριολεκτικά στα καρφιά, γιατί η ομάδα του επρόκειτο να δώσει έναν αγώνα σε λίγη ώρα στην άλλη άκρη του Λονδίνου. Το μόνο που πρόλαβε να κάνει ήταν να τη συστήσει στα κορίτσια και να εξαφανιστεί μέσα σε ένα χείμαρρο από συγνώμες και δικαιολογίες, αφήνοντάς την ολομόναχη ανάμεσα στο μικρό πλήθος των μαθητριών, το ακατάλληλο ντύσιμο των οποίων — εφαρμοστά ροζ κολάν και ασορτί σπορτέξ — μαρτυρούσε ότι δε βρίσκονταν εκεί για να αθληθούν, αλλά από καθαρή περιέργεια.

Η Κριστίνα δεν είχε ιδέα πώς να τους φερθεί. Για την ακρίβεια, είχε αρχίσει να πελαγώνει και να χάνει το κουράγιο της. Μέχρι που εμφανίστηκε ο Ραφαέλ.

Ο ήρωάς της! Ο ιππότης της για ακόμα μια φορά. Νιώθο-ντας σχεδόν έτοιμη να λιποθυμήσει από την ανακούφιση, τον είδε να μπαίνει στον αγωνιστικό χώρο έτσι απλά.. και να αναλαμβάνει τα ηνία. Ήταν η πρώτη φορά στη ζωή της που έβλεπε σε δράση έναν μονομάχο. Παρ' όλο που φορούσε ένα άψογο, πανάκριβο κοστούμι, πήρε την κατάσταση στα χέρια του με κίνδυνο να ιδρώσει και να λερωθεί!

Μέσα σε ένα λεπτό η Κριστίνα είχε ήδη ξεχάσει τις γελοίες εμμονές της ότι δεν είχε ανάγκη από βοήθεια και άλλες ανοησίες. Έτσι έμεινε να τον κοιτάζει άναυδη και γεμάτη θαυμασμό καθώς εκείνος ενέπνεε αδιάκοπα τα κορίτσια, κάνοντάς τα να τρέχουν πάνω κάτω ζωηρά και να μάχονται για την μπάλα προκειμένου να κερδίσουν τον έπαινό του.

Μια ώρα αργότερα είχε καταγράψει τόσο πολλές συμμετοχές για τη γυναικεία ποδοσφαιρική ομάδα, που της ήταν δύσκολο να βρει τα σωστά λόγια για να εκφράσει την ευγνωμοσύνη της στον Ραφαέλ όταν ήρθε η στιγμή να καληνυχτίσουν τα παιδιά και να φύγουν από το γήπεδο.

«Σου έχει γίνει πια συνήθεια να εμφανίζεσαι σαν από μηχανής Θεός και να με σώζεις από περίεργες καταστάσεις», του είπε γελώντας. «Ειλικρινά δεν έχω ιδέα τι θα έκανα αν δεν εμφανιζόσουν». Του έριξε μια γρήγορη ματιά. «Έχεις λερωθεί».

«Την επόμενη φορά θα έρθω καλύτερα προετοιμασμένος», της υποσχέθηκε ο Ραφαέλ, που αν και κάπως νεόκοπος στο ρόλο του σωτήρα, αισθανόταν πολύ καλά με τον εαυτό του.

«Την επόμενη φορά θα είμαι κι εγώ καλύτερη. Αλήθεια», τον διαβεβαίωσε η Κριστίνα, διαβάζοντας την αμφιβολία στο βλέμμα του.

Αλλά εκείνος δε φάνηκε πρόθυμος να την πιστέψει. «Που βρίσκεται ο περίφημος Μάρτιν, μου λες;» την προκάλεσε. «Γιατί δεν ήταν στο πλευρό σου να σε βοηθήσει;»

Η Κριστίνα του μίλησε για τον ποδοσφαιρικό αγώνα των αγοριών στην άλλη άκρη της πόλης. «Δε φταίει εκείνος», κατέληξε σοβαρή.

Αλλά ο Ραφαέλ ούτε κι αυτή τη φορά έδειξε διατεθειμένος να συμφωνήσει. «Είσαι πολύ επιεικής μαζί του», παρατήρησε. «Το λιγότερο που μπορούσε να κάνει ήταν να μείνει δίπλα σου για να σε στηρίξει στην πρώτη σου προπόνηση».

«Το ξέρω, αλλά ακόμα κι έτσι του είμαι ευγνώμων που

μου έδωσε την ευκαιρία να μπω στο γήπεδο», είπε η Κριστίνα.

Ο Ραφαέλ δυσαρεστήθηκε καθώς δεν του άρεσε καθόλου η υποστήριξη προς τον Μάρτιν. «Αν συνεχίσεις να σκέφτεσαι έτσι, όλοι θα σε εκμεταλλεύονται», την προειδοποίησε βλοσυρός.

Αλλά εκείνη περιορίστηκε να τον αγγίξει μαλακά στο μπράτσο. «Μην είσαι τόσο κυνικός, Ραφαέλ!» τον μάλωσε τρυφερά. «Με ποιο τρόπο δηλαδή θα μπορούσε να με εκμεταλλευτεί ο Μάρτιν; Μην ξεχνάς ότι εγώ έβαλα την αγγελία. Και από την άλλη, αποκλείεται να με φορτώσει με σχολικές δραστηριότητες, διότι ήδη του εξήγησα ότι είμαι πολύ απασχολημένη με το ανθοπωλείο».

Εκείνος όμως κούνησε με δυσπιστία το κεφάλι του. «Δεν ξέρεις εσύ. Είσαι υπερβολικά εύπιστη», επέμεινε.

Αλλά η Κριστίνα δεν ήταν διατεθειμένη να υποχωρήσει. «Και λοιπόν;» παρατήρησε ήρεμα. «Τόσο κακό είναι αυτό;»

Ο Ραφαέλ γέλασε ειρωνικά. «Δεν μπορώ να ξέρω για σένα, αλλά στον αμείλικτο κόσμο των επιχειρήσεων όπου ζω εγώ, η μεγάλη εμπιστοσύνη είναι συνώνυμη με την αυτοκτονία».

Τα λόγια του την έκαναν να παγώσει. «Γι' αυτό κι εγώ θα μείνω για πάντα μακριά απ' αυτόν τον κόσμο», του δήλωσε μόλις συνήλθε.

«Και καλά θα κάνεις. Δε νομίζω ότι σου ταιριάζει», είπε ο Ραφαέλ. Τη φαντάστηκε να προεδρεύει σε συνεδριάσεις σχετικές με συγχωνεύσεις και εξαγορές εταιρειών και δεν μπόρεσε να συγκρατήσει ένα χαμόγελο. «Δεν υπάρχει λόγος να γυρίσω τώρα πια στο γραφείο», της είπε έξαφνα, συνειδητοποιώντας ότι ένιωθε υπέροχα καθώς κυκλοφορούσε δίπλα της στο θορυβώδες Λονδίνο με λασπωμένα ρούχα και παπούτσια. «Θα σε βγάλω έξω για δείπνο».

«Μα δε χρειάζεται να κάνεις κάτι τέτοιο», διαφώνησε μαλακά η Κριστίνα.

«Το ξέρω». Ο Ραφαέλ σήκωσε το χέρι του και ως διά μαγείας εμφανίστηκε αμέσως ένα ταξί. Μόλις μπήκαν, έδωσε στον οδηγό τη διεύθυνσή του σπιτιού της και στη συνέχεια στράφηκε να την κοιτάξει. «Λοιπόν;» τη ρώτησε.

«Εντάξει!» αποκρίθηκε ξέπνοη η Κριστίνα.

Ήταν σίγουρη ωστόσο ότι δεν επρόκειτο για ένα ρομαντικό δείπνο, μια και τον Ραφαέλ δεν τον έλκυαν γυναίκες του τύπου της. Παρ' όλα αυτά, μετά το ντους που έκανε λίγο αργότερα, φρόντισε να ντυθεί απλά, αλλά όσο το δυνατόν πιο κομψά. Έτσι αντί για το συνηθισμένο χοντρό πουλόβερ της, φόρεσε μια εφαρμοστή μακρυμάνικη μπλούζα πάνω από το τζιν της και βούρτσισε τα μαλλιά της μέχρι που τα είδε στον καθρέφτη να γυαλίζουν.

Όταν τελείωσε, πήγε στην κουζίνα να βρει τον Ραφαέλ.

Εκείνος την υποδέχτηκε με ένα ποτήρι νερό στο χέρι, προσπαθώντας μάταια να κρύψει την έκπληξή του. Το κορμί της που μόνο φευγαλέα το είχε προσέξει, αναδεικνυόταν με τον καλύτερο τρόπο.

Είναι γλυκιά, αθώα και από άριστη οικογένεια, του ψιθύρισε στο αυτί μια φωνούλα. Δε θα είχε παράλογες αξιώσεις ούτε και θα τον έβλεπε σαν πορτοφόλι, αφού και η ίδια, μέσω των γονιών της, ήταν αρκετά πλούσια. Ο Ραφαέλ συνέχισε να την κοιτάζει επίμονα.

«Τι συμβαίνει; Έχω μήπως κάποια μουντζούρα στο πρόσωπό μου;» είπε με ένα νευρικό γελάκι η Κριστίνα που είχε αρχίσει να νιώθει περίεργα κάτω από το ερευνητικό βλέμμα του.

«Συμβαίνει ότι είσαι όμορφη».

Οι λέξεις βγήκαν από τα χείλη του αυθόρμητα, την ίδια ακριβώς στιγμή που σκεφτόταν για πρώτη φορά μετά τον καταστροφικό του γάμο ότι θα μπορούσε να δημιουργήσει μια σχέση που θα κρατούσε για πάντα. Όταν παντρεύτηκε την Έλεν, είχε κάνει ένα τεράστιο λάθος που όμως του είχε γίνει μάθημα. Από την άλλη, ο χρόνος κυλούσε γρήγορα και το φάσμα του μοναχικού μεσήλικα τον κυνηγούσε αδυσώπητα.

Δε χωρούσε η παραμικρή αμφιβολία ότι η Κριστίνα θα ήταν ιδανική για το ρόλο της συζύγου του. Το κερασάκι στην τούρτα ήταν πως θα είχε και τις ευλογίες της μητέρας του, η οποία δεν είχε εγκρίνει ως τότε καμία απολύτως από τις φιλενάδες του, συμπεριλαμβανόμενης και της Έλεν φυσικά.

«Ευχαριστώ», μουρμούρισε αδέξια η Κριστίνα, υπενθυμίζοντας στον εαυτό της ότι το δείπνο δεν ήταν ραντεβού και πως ο Ραφαέλ της το είχε προτείνει επειδή δεν είχε κάτι άλλο να κάνει το βράδυ.

Ικανοποιημένη που είχε ξεκαθαρίσει τα πράγματα μέσα της, τον ακολούθησε μέχρι το σπίτι του προκειμένου κι εκείνος με τη σειρά του να πλυθεί και να αλλάξει. Στην εικοσάλεπτη διαδρομή συζητούσαν ευχάριστα, κυρίως για τα φαγητά και τα γλυκά που τους άρεσαν. Εκείνη του απαρίθμησε τις αμέτρητες δίαιτες που είχε δοκιμάσει από τα χρόνια της εφηβείας της και στη συνέχεια του μίλησε για τα όνειρα που έκανε για την ποδοσφαιρική ομάδα και ζήτησε τη γνώμη του με φανερή αγωνία.

Ο Ραφαέλ της την είπε, ενώ την ίδια στιγμή συλλογιζόταν πως εκείνη δεν ήταν από τις γυναίκες που θα παραβίαζαν ποτέ τα όρια του άλλου. Δεν ήταν περίπλοκη και ανάγωγη.

«Το εννοούσες πραγματικά όταν έλεγες πως θα ξανάρθεις στο γήπεδο;» τον ρώτησε ξάφνου η Κριστίνα, κόβοντας απότομα το νήμα της σκέψης του.

Πριν της αποκριθεί, ο Ραφαέλ έψαξε μέσα του και ανακάλυψε ότι είχε περάσει τέλεια. Όπως την εποχή που ήταν φοιτητής και αρίστευε στο ποδόσφαιρο και το ράγκμπι. Προτού τον πνίξουν οι επαγγελματικές του υποχρεώσεις και παραιτηθεί από κάθε χαλαρωτική δραστηριότητα.

«Γιατί όχι;» είπε ανάλαφρα, σίγουρος ότι λίγη σωματική άσκηση θα τον ωφελούσε αρκετά. «Μπορώ να το κανονίσω και να έρχομαι κάθε φορά που ο Μάρτιν θα σε αφήνει να τα βγάζεις πέρα μόνη σου», κατέληξε, σκεφτόμενος ότι το ρομαντικό, παλιομοδίτικο φλερτ θα ήταν ο καλύτερος τρόπος να προσεγγίσει μια γυναίκα σαν την Κριστίνα και πως ένας γάμος ξεκάθαρος και σαφής σαν εμπορική συμφωνία δε θα τη μείωνε καθόλου, αλλά αντίθετα θα ήταν προς το συμφέρον της.

Εκείνη δεν μπόρεσε να κρύψει την έκπληξή της. «Αλήθεια;»

ψέλλισε με γουρλωμένα μάτια, νιώθοντας την καρδιά της να χτυπάει ξέφρενα. «Είχα την εντύπωση ότι δε σου περισσεύει καθόλου ελεύθερος χρόνος. Ιδιαίτερα για να παίζεις μπάλα με σχολιαρόπαιδα».

«Αν θέλεις να ξέρεις, υπήρξα καταπληκτικός παίκτης στα νιάτα μου».

«Και στη συνέχεια τι σου συνέβη;»

«Η δουλειά».

«Ποτέ δεν είναι αργά να σπάσεις τις αλυσίδες», είπε μαλακά εκείνη.

Ο Ραφαέλ ξαφνιάστηκε με την παρατήρησή της. «Ποιες αλυσίδες;»

«Αυτές που σε κρατούν αιχμάλωτο στο γραφείο σου».

Στο μεταξύ είχαν φτάσει στον προορισμό τους. Όση ώρα ο Ραφαέλ ετοιμαζόταν για την έξοδό τους η Κριστίνα προσπαθούσε να συμφιλιωθεί με τα όσα συνέβαιναν. Ήταν αλήθεια ή όχι ότι είχαν κάπως αρχίσει να δένονται μεταξύ τους; Πέρα από κάθε προσδοκία; Βέβαια ο Ραφαέλ δεν ήταν για κείνη, με δεδομένο την εξωτερική του εμφάνιση και την κοινωνική του θέση. Όμως και η ίδια ήταν από πολύ καλή οικογένεια, αλλά οι ομοιότητες σταματούσαν εκεί. Νιώθοντας σχεδόν την ίδια ερεθιστική ζάλη που δοκίμαζε όταν έμπαινε παιδί στο τρενάκι του λούνα παρκ, άφησε τη φαντασία της να καλπάσει με αποτέλεσμα όταν εκείνος επέστρεψε κοντά της να έχουν ήδη αποκτήσει δυο παιδιά και σκύλο στην αυλή.

Ανακουφισμένη που εκείνος δεν ήταν σε θέση να διαβάσει το μυαλό της, τον ακολούθησε στο ταϊλανδέζικο εστιατόριο που της πρότεινε. Αφού κατανάλωσαν προηγουμένως ένα μπουκάλι κρασί, ο Ραφαέλ τη ρώτησε πώς ήταν δυνατό να μην έχει ερωτικές σχέσεις.

«Φυσικά και είχα!» διαμαρτυρήθηκε έντονα η Κριστίνα. «Απλώς δεν έτυχε να συναντήσω ακόμα εκείνον με τον οποίο θα ήθελα να δεθώ για πάντα»

«Και αυτό πού λες να οφείλεται;»

«Θα πρέπει μάλλον να είμαι δύσκολη», απάντησε η Κριστίνα, νιώθοντας μια ευχάριστη ζάλη.

«Αλήθεια;» Ο Ραφαέλ έσκυψε προς το μέρος της. Τα μάγουλά της είχαν ροδίσει και τα μάτια της έλαμπαν. Δεν έκανε τίποτα για να τον προκαλέσει, αλλά παρά το φυσικό φέρσιμό της φάνταζε απίστευτα σέξι. Τα τρυφερά χείλη της, ο τρόπος που κουνιόταν το στήθος της κάθε φορά που χειρονομούσε... Αυθόρμητα κάρφωσε με το πιρούνι του μια γαρίδα από το πιάτο της και της την έβαλε στο στόμα.

Η Κριστίνα τα έχασε. Νιώθοντας την καρδιά της να βροντοχτυπάει, άρχισε να μασουλάει μηχανικά τη λιχουδιά που της πρόσφερε.

«Κοκκίνισες», σχολίασε ο Ραφαέλ φλερτάροντάς την έντονα, αλλά με ύφος σοβαρό. «Γιατί; Μήπως σε κάνω να αισθάνεσαι άβολα;»

«Λιγάκι», ομολόγησε η Κριστίνα δειλά. «Μπορώ να σε ρωτήσω κάτι;»

«Φυσικά.

«Με φλερτάρεις;»

«Συγνώμη;»

«Με φλερτάρεις;»

Μπροστά στην τόση ευθύτητά της του ήταν αδύνατον να χρησιμοποιήσει τα κλισέ που επιστράτευε συνήθως όταν έβγαινε με γυναίκες. «Και αν το έκανα;» είπε μονάχα.

«Θα σε ρωτούσε γιατί το κάνεις».

Πρώτη φορά ο Ραφαέλ ένιωθε τόσο αμήχανος. Αλλά βέβαια και πρώτη φορά γνώριζε κάποια σαν την Κριστίνα.

«Λοιπόν;» επέμεινε εκείνη.

«Αν φλερτ σημαίνει ότι σε θεωρώ σέξι, τότε ναι, σε φλερτάρω», της απάντησε τελικά ο Ραφαέλ, διαπιστώνοντας ότι είχε αρχίσει να διασκεδάζει με την τόσο έντιμη και ειλικρινή προσέγγισή της.

«Σέξι; Εγώ;»

Ο Ραφαέλ έσκυψε αργά προς το μέρος της και την κοίταξε σοβαρός. «Έχω μεγάλη πείρα στις γυναίκες, Κριστίνα, γι' αυτό και σε πληροφορώ ότι το κορμί σου είναι αφάνταστα προκλητικό».

«Δε... δε νομίζω ότι μου αρέσει να με κοιτάνε μ' αυτό τον τρόπο», μουρμούρισε εκείνη κομπιάζοντας. «Θέλω να πω... δεν εκτιμώ τους άντρες που... που βλέπουν τη γυναίκα μόνο ως ερωτικό αντικείμενο».

«Λυπάμαι ειλικρινά αν σου έδωσα μια τέτοια εντύπωση», είπε ήρεμα ο Ραφαέλ και κοίταξε τα πιάτα με το φαγητό που είχε αφήσει μπροστά τους η σερβιτόρα.

Η Κριστίνα κοίταξε το πιάτο της νιώθοντας απογοητευμένη με τον εαυτό της, γιατί στην προσπάθειά της να υπερασπιστεί τις αρχές της είχε καταστρέψει τη μεταξύ τους ερωτική ατμόσφαιρα. Άλλωστε θα ήταν ψέμα να μην παραδεχτεί ότι της άρεσε η παρατήρησή του για το σώμα της. Δεν ήταν κάτι που θα ήθελε ποτέ να το προκαλέσει η ίδια, αλλά το γεγονός ότι είχε προκύψει αυθόρμητα από τη μεριά του την έκανε να νιώθει επιθυμητή.

«Μάλλον έκανα λάθος», είπε σιγανά, με ένα δειλό χαμόγελο.

Εκείνος της το ανταπέδωσε. Και γνωρίζοντας ότι είχε κερδίσει πανηγυρικά στο παιχνίδι που έπαιζαν, έδιωξε ενοχλημένος από το μυαλό του τη σκέψη ότι είχε χρησιμοποιήσει τη γοητεία του προκειμένου να αμβλύνει τις άμυνές της. Έπιασε σιωπηλός το ποτήρι του και άδειασε το κρασί του, έχοντας τα μάτια του καρφωμένα στα δικά της.

«Ξέρεις κάτι;» του εξομολογήθηκε η Κριστίνα όταν ολοκληρώθηκε το συναρπαστικό τους δείπνο. «Νιώθω σαν να σε γνωρίζω χρόνια. Δεν είναι περίεργο;»

«Είναι, πράγματι», είπε ο Ραφαέλ. Εκείνη ήταν διάφανη, οπότε ήταν σίγουρος ότι του έλεγε την αλήθεια.

«Από την άλλη όμως δε σε ξέρω καθόλου», συνέχισε η Κριστίνα, μολονότι πίστευε ανέκαθεν ότι η πολλή ανάλυση δε βοηθάει τις ανθρώπινες σχέσεις· χώρια που δεν ταίριαζε καθόλου και με τον αισιόδοξο και χαρωπό χαρακτήρα της.

«Πόσο καλά μπορούμε να μάθουμε στ' αλήθεια κάποιον;» παρατήρησε ο Ραφαέλ διασκεδάζοντας με την αφέλειά της.

Εκείνος όμως δεν ήταν αφελής. Ήξερε ότι οι γυναίκες, παρ' όλο που προσπαθούσαν να τον ξεγελάσουν, ήταν σε επιφυλακή λες κι εκείνος μπορούσε να μεταμορφωθεί από τη μια στιγμή στην άλλη σε τέρας.

Η Κριστίνα γέλασε και συνειδητοποιώντας με έκπληξη ότι είχαν αδειάσει οι δυο τους σχεδόν δύο ολόκληρα μπουκάλια από καλό ιταλικό κρασί, ήπιε με ευγνωμοσύνη τον ένα από τους δύο δυνατούς εσπρέσο που είχε στο μεταξύ παραγγείλει ο Ραφαέλ. Μόνο τότε, νιώθοντας άνετα και ευχάριστα δίπλα του, ξανάπιασε το νήμα της κουβέντας τους από το σημείο που το είχαν αφήσει.

«Εσύ, ας πούμε, γνωρίζεις ήδη πολλά για μένα. Σου έχω μιλήσει για τις αδερφές μου, τους γονείς μου, το ανθοπωλείο, ενώ εγώ τα μόνο που ξέρω είναι ότι εργάζεσαι σκληρά και ότι είσαι φοβερός στις επιχειρήσεις. Τίποτε άλλο».

Εκείνος χαμογέλασε λοξά. «Ωραία, μπορώ να σε διαφωτίσω περισσότερο. Λοιπόν, μετά το λύκειο σπούδασα στο πανεπιστήμιο Οικονομικά, Φυσική και Ψυχολογία...»

«Σπούδασες ψυχολογία;» τον διέκοψε εντυπωσιασμένη η Κριστίνα. «Ονειρευόταν και η Φράνκι να κάνει το ίδιο, αλλά ο πατέρας τη συμβούλευσε να προτιμήσει την Ιστορία. Έτσι κι αλλιώς, ποτέ δε χρησιμοποίησε το πτυχίο της, γιατί παντρεύτηκε και έκανε παιδιά. Φαντάζομαι όμως ότι οι σπουδές θα σε διευκολύνουν στη δουλειά σου. Εννοώ ότι θα μπορείς εύκολα να αντιληφθείς τον τρόπο που σκέφτεται ο συνομιλητής σου».

«Η ψυχολογία, Κριστίνα, δεν είναι τηλεπάθεια», σχολίασε ο Ραφαέλ, αλλά όταν το σκέφτηκε καλύτερα διαπίστωσε ότι δεν ήταν και τόσο παράλογη η παρατήρησή της. «Υπάρχει βέβαια κάποια βάση σ' αυτό που λες», είπε με ύφος στοχαστικό, «και σίγουρα η γνώση σε βοηθάει να προβλέψεις κάποιες κινήσεις του άλλου, αλλά δυστυχώς το αποτέλεσμα δεν είναι τόσο χρήσιμο όσο φαντάζεσαι».

«Τι εννοείς;» ρώτησε η Κριστίνα. Ξαφνικά συνειδητοποίησε ότι κρατούσε την αναπνοή της περιμένοντας να τον ακούσει να της ξεδιπλώνει λίγο λίγο τον εαυτό του. Πήρε μια βαθιά ανάσα, ανυπομονώντας για τα όσα θα της αποκάλυπτε.

«Ήμουν παντρεμένος κάποτε...» Ο Ραφαέλ αποφάσισε να θίξει το θέμα επειδή δεν ήταν μυστικό κι εκείνη θα το μάθαινε αργά ή γρήγορα από τη μητέρα του. Ωστόσο, μολονότι προτιμούσε να ξεκαθαρίσει ο ίδιος τα πράγματα από την αρχή, τον ενοχλούσε να προχωράει σε εξομολογήσεις.

Εκείνη το κατάλαβε. «Δε χρειάζεται να μπεις σε λεπτομέρειες», έσπευσε να τον προλάβει, έχοντας τη ρομαντική υποψία ότι η γυναίκα που είχε παντρευτεί εκείνος θα ήταν ο μεγάλος έρωτας της ζωής του. «Θέλω να πω ότι γνωρίζω πως οι άντρες δυσκολεύονται να εκφράσουν τα συναισθήματα τους...» Αυτό το είχε διαβάσει σε ένα βιβλίο, γιατί από τη δική της ανύπαρκτη πείρα δεν κατείχε και σπουδαία πράγματα. «Αν και ορισμένοι τα καταφέρνουν», συνέχισε, επιδιώκοντας να είναι όσο το δυνατόν πιο δίκαιη και ακριβής. «Κάποιοι άλλοι όμως είναι πολύ πιο ευαίσθητοι».

Ο Ραφαέλ ξαφνιάστηκε διαπιστώνοντας για άλλη μια φορά ότι η συζήτηση μαζί της τον προκαλούσε και διέγειρε ευχάριστα τη σκέψη του. «Φαντάζομαι ότι θα αναφέρεσαι σ' εκείνους που κλαίνε στις αισθηματικές ταινίες με το λυπητερό τέλος και θεωρούν ότι το πλέξιμο δε θα έπρεπε να είναι ταμπού», σχολίασε και χαμογέλασε ευχαριστημένος, ακούγοντας το γάργαρο γέλιο της. «Η δική μου περίπτωση είναι λίγο διαφορετική. Παντρεύτηκα την Έλεν όταν ήμουν... Ας πούμε τόσο νέος ώστε να έχω την αφέλεια να πιστεύω πως αυτό που μας συνέδεε ήταν έρωτας».

«Και δεν ήταν;» ρώτησε η Κριστίνα, νιώθοντας την καρδιά της να σταματάει από την αγωνία.

«Αντίθετα, ήταν καταστροφή». Από το μυαλό του πέρασαν αστραπιαία σκηνές και γεγονότα που δεν είχε αποκαλύψει ποτέ σε κανέναν και δεν ήθελε με τίποτα να θυμάται. «Γνωριστήκαμε στο πανεπιστήμιο», συνέχισε άχρωμα. «Σε ένα από κείνα τα φοιτητικά στέκια που πίνεις αμέτρητες μπίρες πριν να γυρίσεις φέσι στο δωμάτιό σου». Στη σύντομη παύση που έκανε για να πάρει ανάσα, η Κριστίνα προσπάθησε να τον φανταστεί μεθυσμένο και με χαμένη τη σιδερένια αυτο-πειθαρχία του, αλλά δεν τα κατάφερε. «Σε αντίθεση με τους περισσότερους από μας, η Έλεν ήταν ξεμέθυστη και περιο-ριζόταν στο να παρατηρεί προσεκτικά τριγύρω».

Το βλέμμα της του αδίστακτου αρπακτικού τον κυνηγούσε ακόμα. Ήταν ψυχρό και υπολογιστικό και φανέρωνε πως εκείνη αναζητούσε το θύμα της μέσα στο πλήθος, έτοιμη πριν το καταβροχθίσει, να το δηλητηριάσει γλυκά με την εκπλη-κτική ομορφιά της. Τα μεταξένια ξανθά μαλλιά της, το χυμώ-δες, ψηλό κορμί της και τα συναρπαστικά της μάτια, που είχαν το πιο έντονο πράσινο χρώμα που είχε δει ποτέ του, τον έκαναν να την ποθήσει σαν τρελός από την πρώτη στιγμή που την είχε δει, και μολονότι ήταν μόνο είκοσι χρονών, ήξερε ότι μπορούσε να την αποκτήσει. Εξακολούθησε να την ποθεί το ίδιο για αρκετό καιρό μετά και αγνοούσε, σαν να βρισκόταν σε κώμα, τις ενδείξεις και τις πληροφορίες που θα του άνοιγαν τα μάτια.

«Όπως αποδείχτηκε αργότερα, ήταν αρκετά χρόνια με-γαλύτερή μου», συνέχισε ο Ραφαέλ με επίπεδη φωνή. «Κάτι που έμαθα τυχαία όταν έπεσε στα χέρια μου το διαβατήριό της. Με περνούσε εννέα χρόνια. Ούτε και ήταν φοιτήτρια. Δούλευε σε ένα από τα πολυκαταστήματα της πόλης». Η φωνή του έσπασε, κάνοντας την τρυφερή καρδιά της Κριστί-να να σφιχτεί. «Παντρευτήκαμε αμέσως μόλις πήρα το πτυ-χίο μου. Αλλά τότε διαπίστωσα ότι η γυναίκα μου είχε φρο-ντίσει να ενημερωθεί λεπτομερώς για την οικονομική κατά-σταση της οικογένειάς μου». Αναστέναξε βαριά. «Κοντολογίς, στην Έλεν ταίριαζε γάντι η σοφή παροιμία που λέει πως ό,τι λάμπει δεν είναι χρυσός. Λίγο καιρό μετά το γάμο, ανακάλυ-ψα ότι η γυναίκα μου δεν ήταν μόνο όμορφη, αλλά και ψεύτρα, άπιστη και απίστευτα παραδόπιστη».

«Θα πρέπει να νιώθεις πολύ άσχημα με όλα αυτά», σχο-λίασε χαμηλόφωνα η Κριστίνα, κάνοντάς τον να συνειδητο-ποιήσει ότι της άνοιγε την καρδιά του, κάτι που σιχαινόταν. Ωστόσο εκείνη ήταν τόσο καλή και υποστηρικτική ακρόά-τρια, ώστε το γεγονός ότι της μιλούσε τον βοηθούσε να ελευθερωθεί από συναισθήματα και αναμνήσεις που τον βάραιναν για χρόνια.

«Για να μην μακρηγορώ...» Αφού έκανε μια μικρή παύση για να ελέγξει το λογαριασμό που τους είχαν φέρει και να δώσει την πιστωτική του κάρτα, ο Ραφαέλ συνέχισε με την ίδια πάντα ουδέτερη φωνή. «... Η Έλεν άπλωνε ξεδιάντροπα τα δίχτυα της και αλλού, απολαμβάνοντας ταυτόχρονα την πολυτελή ζωή που της εξασφάλιζα και που την ονειρευόταν σε όλη της τη ζωή. Τελικά σκοτώθηκε σε τροχαίο κάπου στην Αμερική. Το μόνο που έμαθα είναι ότι το αυτοκίνητό της το οδηγούσε ένας άντρας. Διατηρώ μέχρι σήμερα την υποψία ότι θα πρέπει να ήταν ο καθηγητής του σκι που είχε γνωρίσει την προηγούμενη χρονιά».

«Δεν μπορώ να το πιστέψω ότι υπάρχει στ' αλήθεια τόση αθλιότητα», ψέλλισε σοκαρισμένη η Κριστίνα.

Η έντονη συναισθηματική φόρτιση που διέκρινε ο Ραφαέλ στη φωνή της, αναπάντεχα του ζέστανε την καρδιά. Ωστόσο, δήθεν ασυγκίνητος σχολίασε: «Αυτά έχει η ζωή. Τώρα όμως που έμαθες για το παρελθόν μου, είναι ώρα να σε πάω στο σπίτι σου. Όσο για μένα, με περιμένει μια υποχρέωση και έχω ήδη αργοπορήσει», της ανακοίνωσε καθώς σηκωνόταν όρθιος, απορημένος με το πόσο γρήγορα είχε περάσει η ώρα!

«Μα είναι ήδη περασμένες εννέα!» παρατήρησε σαστισμένη η Κριστίνα.

«Το ξέρω, αλλά δεν έχει σημασία», απάντησε ο Ραφαέλ, όντας βέβαιος και χωρίς κανένα ίχνος έπαρσης ότι θα τον καλωσόριζαν θερμά όποια ώρα κι αν εμφανιζόταν. «Ωστόσο...» Μέσα σε ένα κλάσμα του δευτερολέπτου αποφάσισε να κάνει άλλη μια ανατροπή στο πρόγραμμά του, κάτι που ως τότε δεν το διανοούνταν καν. «Έχεις δίκιο. Το να αρχίσω ξαφνικά να κόβω βόλτες μέσα σε μια γκαλερί, παριστάνοντας τον εκστασιασμένο μπροστά σε μερικές πιτσιλιές από χρώμα πάνω στον καμβά, δε με ελκύει καθόλου».

Αφού έκανε στα γρήγορα δύο τηλεφωνήματα προκειμένου

να ακυρώσει την εμφάνισή του στην γκαλερί, εγκατέλειψε το εστιατόριο με την Κριστίνα.

Έξω είχε αρχίσει ήδη να βρέχει. Οι κρύες σταγόνες τούς μαστίγωναν αλύπητα στο πρόσωπο, γι' αυτό και η Κριστίνα ξεφύσηξε ανακουφισμένη όταν μπήκαν στο ταξί που σταμάτησε μπροστά τους. Πνίγοντας με δυσκολία έναν βαθύ στεναγμό, βολεύτηκε στο κάθισμά της και κλείνοντας τα μάτια της αναβίωσε λεπτό προς λεπτό το εκπληκτικό απόγευμα που είχε ζήσει με τον άντρα ο οποίος έκανε την καρδιά της να φτερουγίζει σαν πεταλούδα.

«Ελπίζω να μην αποκοιμηθείς», την προειδοποίησε ανήσυχος ο Ραφαέλ, βλέποντάς τη να χασμουριέται διακριτικά.

«Με συγχωρείς». Νιώθοντας φοβερά άβολα με την αγένειά της, η Κριστίνα άνοιξε τα μάτια της και τον κοίταξε νυσταγμένη. «Θα πρέπει να φταίει το κρασί. Ή ίσως η προπόνηση. Όπως και να 'χει, νιώθω εξαντλημένη».

Ο Ραφαέλ άρχισε κάτι να λέει για τον καιρό, αλλά εκείνη δεν τον άκουσε. Αντίθετα, μέχρι το ταξί να σταματήσει έξω από την πολυκατοικία της, είχε γείρει πάνω του και είχε κοιμηθεί γλυκά αναπνέοντας ρυθμικά.

Ο Ραφαέλ τη σκούντηξε απαλά μόλις έφτασαν, εισπνέοντας τη μυρωδιά των μαλλιών της που μοσχοβολούσαν. Η Κριστίνα άνοιξε ταραγμένη τα μάτια της και άρχισε να μουρμουρίζει μια δικαιολογία, κοιτάζοντάς τον με μάτια που θύμιζαν αγουροξυπνημένο κουτάβι.

«Μην αρχίσεις πάλι να μου λες ότι δεν υπάρχει λόγος να σε συνοδεύσω μέσα, γιατί θα το κάνω έτσι κι αλλιώς», την προειδοποίησε ο Ραφαέλ μόλις βγήκαν στο πεζοδρόμιο.

Εκείνη τον κοίταξε με φανερή αμηχανία. «Ώστε είμαι τόσο προβλέψιμη;» τον ρώτησε σχεδόν με παράπονο, νιώθοντας την παγωμένη βροχή στο πρόσωπό της να την ξυπνάει εντελώς.

«Δε θα έλεγα πως αυτή είναι η λέξη που σε περιγράφει ακριβώς», σχολίασε ο Ραφαέλ καθώς πατούσε το κουμπί για να κατέβει ο ανελκυστήρας.

Μόνο όταν βρέθηκαν μέσα στον περιορισμένο χώρο του

θαλάμου, η Κριστίνα αντιλήφθηκε ότι κάτι είχε αλλάξει στην ατμόσφαιρα μεταξύ τους, δίχως όμως να μπορεί να πει τι ακριβώς ήταν αυτό. Τώρα πια γνώριζαν αρκετά προσωπικά δεδομένα ο ένας του άλλου. Η ίδια ήξερε λεπτομέρειες για ένα κομμάτι της ζωής του που ο Ραφαέλ δεν το είχε μοιραστεί με κανέναν άλλον, ενώ εκείνος είχε πληροφορηθεί ότι ήταν παρθένα. Πιθανόν αυτό το τελευταίο να ήταν και η αιτία όλης αυτής της αμήχανης σιωπής ανάμεσά τους, που ωστόσο ήταν φορτισμένη με μια αλλόκοτη ένταση. Σε όλη τη διαδρομή μέχρι τον τελευταίο όροφο, εκείνη κρατούσε το βλέμμα της καρφωμένο στο δάπεδο, νιώθοντας όμως έντονη την παρουσία του πλάι της να της προκαλεί ένα γλυκό μούδιασμα σε όλο της το κορμί.

Μόνο όταν άνοιξαν απότομα οι πόρτες του ασανσέρ και βρέθηκε στο διάδρομο, συνειδητοποίησε τι ήταν αυτό που υπήρχε στο πίσω μέρος του μυαλού της από την πρώτη στιγμή που είχε συναντήσει τον Ραφαέλ.

Τον ήθελε! Τον επιθυμούσε ως άντρα. Κι αυτό επειδή πέρα από κάθε λογική εκείνος είχε καταφέρει να ξυπνήσει τη λίπιντό της που ως τότε βρισκόταν σε βαθιά ύπνωση. Και μόλο που δεν ήταν ο κατάλληλος για κείνη, έκανε πράγματα που ερέθιζαν τις αισθήσεις της, κρατώντας τη σε συνεχή υπερδιέγερση.

Το θέμα είναι πώς νιώθει και ο Ραφαέλ από τη μεριά του, συλλογίστηκε μόλις ομολόγησε στον εαυτό της όλη την αλήθεια. Κατά βάθος ωστόσο υποψιαζόταν πως θα ίσχυε και για κείνον το ίδιο. Γιατί τι κέρδος θα είχε ο Ραφαέλ προσποιούμενος κάτι που δεν ένιωθε; Μήπως ήταν ψέμα ότι της είχε πει πως την έβρισκε όμορφη;

Νιώθοντας παραζαλισμένη από την έξαψη και τον ενθουσιασμό που την πλημμύριζαν μ' αυτές τις σκέψεις, έψαξε με χέρια που έτρεμαν στην τσάντα της για να βρει τα κλειδιά της.

Μπήκαν στο διαμέρισμα μαζί. Αυτή τη φορά εκείνη δε στράφηκε προς το μέρος του να τον ευχαριστήσει για το

ΚΕΦΑΛΑΙΟ 5

Ο Ραφαέλ δεν είχε ιδέα αν αυτό που αισθάνθηκε ήταν αποτέλεσμα του φιλιού της ή γενικότερα της κάπως μυστηριακής ατμόσφαιρας που είχε προκύψει αναπάντεχα ανάμεσά τους. Πάντως ήταν κάτι το απίστευτα εκρηκτικό. Τη μια στιγμή σκεφτόταν με απόλυτη σύνεση και λογική ότι η Κριστίνα ήταν μάλλον η γυναίκα που θα γινόταν σύζυγός του και την άλλη πήρε φωτιά με ένα απλό άγγιγμά της, λες και ήταν η πρώτη γυναίκα που τον άγγιζε στη ζωή του.

Αλλά δεν κάθισε να το ερευνήσει και πολύ.

Ο καφές ξεχάστηκε αμέσως. Παίρνοντας το πρόσωπό της στις παλάμες του, άρχισε να εξερευνά αργά και βασανιστικά με τη γλώσσα του το στόμα της, μέχρι που εκείνη κύρτωσε πάνω του. Ένιωθε το τρελό καρδιοχτύπι της πάνω στο στέρνο του, μέχρι που αποτραβήχτηκε για να πάρει ανάσα, λαχανιασμένος.

«Είσαι σίγουρη ότι το θέλεις;» της ψιθύρισε σιγανά, κάνοντας πρώτη φορά στη ζωή του αυτή την ερώτηση σε γυναίκα. Κι αυτό επειδή στο παιχνίδι του έρωτα —ή μάλλον του πάθους όπως πίστευε εκείνος— οι κανόνες ήταν γνωστοί και η διαδικασία ξεκάθαρη και δεν ήταν αναγκασμένος να κάνει σαφές ότι δεν υπήρχε καμία προοπτική για δέσμευση.

Με την Κριστίνα όμως τα πράγματα ήταν διαφορετικά. Συλλογίστηκε ότι είχε δίκιο η μητέρα του όταν υποστήριζε πως είχε φτάσει η στιγμή να νοικοκυρευτεί. Γιατί με την ωριμότητα και την πείρα που διέθετε τώρα πια, ήταν σε θέση να επιλέξει την κατάλληλη σύζυγο ελαχιστοποιώντας ή ακόμα και εξαφανίζοντας εντελώς τις πιθανότητες ενός λάθους. Σε αντίθεση με τον πρώτο του γάμο.

Μακάρι να ήξερα και τότε πόσο υπερεκτιμημένη και απατηλή είναι η ιδέα της αγάπης, αναγνώρισε εκείνο το μικρό κομμάτι του μυαλού του που εξακολουθούσε να σκέφτεται καθαρά. Τελικά μόνο η λογική μπορεί να στηρίξει και να βοηθήσει αποτελεσματικά μία σχέση, για τον απλούστατο λόγο ότι..

Όμως δεν μπόρεσε να ολοκληρώσει το συλλογισμό του. Βλέποντας την Κριστίνα να καρφώνει αποφασιστικά τα μάτια της πάνω του και να του γνέφει καταφατικά, ένιωσε ένα ποτάμι καυτής λάβας να ξεχύνεται μέσα του και να τον πυρπολεί.

Αλλά και η Κριστίνα δεν αισθανόταν λιγότερη αναστάτωση. Εντυπωσιασμένη από το γεγονός ότι ο Ραφαέλ δε θέλησε να εκμεταλλευτεί την απειρία της, αλλά της έδωσε την ευκαιρία να αλλάξει γνώμη —πράγμα που θα έκαναν ελάχιστοι στη θέση του— έκλεισε τα μάτια της και γύρεψε το στόμα του, δένοντας ταυτόχρονα τα χέρια γύρω από το λαιμό του. Οι μικροί αναστεναγμοί που της ξέφευγαν καθώς εκείνος τη φιλούσε στα βλέφαρα και τα μάγουλα πριν στρέψει την προσοχή του στο στόμα της, φανέρωναν το πόσο απόλυτα παραδομένη ήταν σ' αυτό που συνέβαινε.

«Νομίζω ότι θα ήταν καλύτερα να συνεχίσουμε στην κρεβατοκάμαρα, δε συμφωνείς;» τη ρώτησε σιγανά ο Ραφαέλ κι εκείνη συμφώνησε με ένα νεύμα, χωρίς να μιλήσει.

Λίγο αργότερα όμως δεν μπόρεσε να κρύψει το θαυμασμό της καθώς εκείνος έβγαζε τα ρούχα του. Μόνο όταν ο Ραφαέλ συνάντησε μ' ένα χαμόγελο τα μάτια της, κοκκίνισε ελαφρά, δίχως ωστόσο να αποστρέψει το βλέμμα της, αφού εκείνος δεν έδειχνε καθόλου ενοχλημένος με τη στάση της.

Ως τη στιγμή που τον είδε να μένει με το εσώρουχο.

«Μην ανησυχείς», την καθησύχασε γλυκά ο Ραφαέλ βλέποντάς τη να γίνεται νευρική και την πλησίασε αργά.

«Δεν ανησυχώ», απάντησε σιγανά η Κριστίνα, μόλο που το

εκείνη δεν είχε καν διανοηθεί. Αυτό το κατάλαβε όταν η ανάγκη να απαλλαγεί από το εσώρουχο που φορούσε έγινε τόσο επιτακτική, που ήταν αδύνατον να την ελέγξει.

Όταν όμως το στόμα του Ραφαέλ άρχισε να κατηφορίζει προς το στομάχι της, προειδοποιητικά καμπανάκια χτύπησαν μέσα στο κεφάλι της και τότε τον τράβηξε απότομα προς τα πάνω.

«Τι κάνεις;» τον ρώτησε σχεδόν άγρια, αλλά εκείνος της χαμογέλασε καθησυχαστικά.

«Ηρέμησε. Δεν πρόκειται να κάνω τίποτα που δε θα το απολαύσεις», της υποσχέθηκε σιγανά, καθώς της έβγαζε με το εσώρουχο.

Να ηρεμήσει! Και μόνο η σκέψη ότι σε λίγο τα χείλη το ακουμπούσαν το πιο απόκρυφο σημείο του κορμιού τ έκανε να τρέμει σύγκορμη από φόβο, αλλά και από σμονή. Ωστόσο αυτό που της συνέβη μόλις αισθάνθηκε ο ήβη της το χάδι της γλώσσας του, ήταν πέρα από κά φαντασίωση. Νιώθοντας να φλέγεται ολόκληρη, άφησε κατα μέρος τις αναστολές της και βόγκησε δυνατά, παραδομένη σε μια απερίγραπτη και συγκλονιστική ηδονή που την έφερνε στα όριά της.

Ωστόσο παρά την απειρία της, γνώριζε ότι ο έρωτας είναι δούναι και λαβείν, κοντολογίς μια ανταλλαγή ευχαρίστησης. Με την πεποίθηση ότι κάτι θα έπρεπε να κάνει κι εκείνη προκειμένου να ανταποδώσει στον Ραφαέλ την απόλαυση που της πρόσφερε, προσπάθησε να ανασηκωθεί. Αλλά δεν τα κατάφερε, γιατί όσο το κεφάλι του ήταν χωμένο ανάμεσα στα πόδια της, το μόνο που μπορούσε να κάνει ήταν να τρεμουλιάζει σαν φύλλο, παραδομένη σε μια παλίρροια από διαδοχικούς οργασμούς.

«Λυπάμαι ειλικρινά», μουρμούρισε γεμάτη ντροπή μερικές στιγμές αργότερα, όταν όλα τελείωσαν και η ίδια συνειδητοποίησε πόσο ανίκανη ήταν να ελέγξει το σώμα της.

Ο Ραφαέλ όμως που ακόμα προσπαθούσε να συνέλθει από την ευχαρίστηση που είχε νιώσει με τις αντιδράσεις της, την κοίταξε με απορία.

«Λυπάσαι;» επανέλαβε βραχνά. Προφανώς εκείνη μόλις συνήλθε από το πάθος, έσπευσε να ξαναβρεί τον ενοχικό εαυτό της. «Για ποιο λόγο;» Τραβήχτηκε προς τα πάνω ώστε να μπορεί να την κοιτάζει καλύτερα, επιστρατεύοντας όλη του την αυτοκυριαρχία για να μην υποκύψει στην επιθυμία να αγγίξει το πλούσιο στήθος της που ήταν το κρυφό όνειρο κάθε αρσενικού.

«Δε.. δε θα έπρεπε να... να ήταν έτσι...», ψέλλισε η Κριστίνα έτοιμη να βάλει τα κλάματα που δεν ήταν σε θέση να παίξει το ρόλο μιας αληθινά ερωτικής γυναίκας.

«Δηλαδή, πώς; Εννοείς ότι μετάνιωσες γι' αυτό που συνέβη;» ενδιαφέρθηκε να μάθει ο Ραφαέλ, ο οποίος, έχοντας συνηθίσει μέχρι τότε να αισθάνεται στο κρεβάτι την ίδια σιγουριά που τον χαρακτήριζε και στα επαγγελματικά συμβούλια, ένιωσε ξαφνικά σαν να κολυμπούσε σε άγνωστα νερά.

Αλλά η Κριστίνα κούνησε αρνητικά το κεφάλι.

«Δεν είναι αυτό. Λυπάμαι μόνο που εγώ... Θέλω να πω... που δεν μπόρεσα να σου χαρίσω...»

Αυτή τη φορά ο Ραφαέλ παραλίγο να βάλει τα γέλια, αλλά συγκρατήθηκε, σίγουρος ότι εκείνη θα τον παρεξηγούσε. Έτσι περιορίστηκε να της χαϊδέψει απαλά το μάγουλο, χαμογελώντας της τρυφερά.

«Δεν καταλαβαίνω τι προσπαθείς να μου πεις», υποστήριξε με προσποιητή αθωότητα.

«Έχω διαβάσει κάποια άρθρα», επιχείρησε να του εξηγήσει χαμηλόφωνα η Κριστίνα, μάλλον αδέξια. «Ξέρω ότι οι άντρες ικανοποιούνται μόνο με πλήρη σωματική επαφή... διαφορετικά...» Ζάρωσε το μέτωπό της, προσπαθώντας να θυμηθεί τι ακριβώς έγραφαν τα περιοδικά. «Διαφορετικά, παθαίνουν κάποια επιπλοκή ή κάτι άλλο εξίσου επικίνδυνο. Σωστά;»

Για να μην ξεσπάσει σε δυνατά χάχανα, ο Ραφαέλ ξερόβηξε τάχα για να καθαρίσει το λαιμό του.

«Δεν έχω τίποτα τέτοιο υπόψη μου. Όσο για μένα, αισθάνομαι απόλυτα ικανοποιημένος», τη διαβεβαίωσε και σκύβοντας της έδωσε ένα απαλό φιλί στα χείλη. «Πίστεψέ με, η αντίδρασή σου στο άγγιγμά μου ήταν τόσο... τόσο μοναδικά και απόλυτα ικανοποιητική, που νιώθω σχεδόν ευγνωμοσύνη... για την ευχαρίστηση που σου έδωσα».

Τα λόγια του ξαλάφρωσαν την ψυχή της Κριστίνα. Εκείνος ήταν ένας γενναιόδωρος εραστής. Όμως τον περίμενε διαφορετικό; Μήπως δεν ήξερε βαθιά μέσα της από την πρώτη στιγμή ότι ανεξάρτητα από τις κάποιες αιχμηρές πλευρές του και ανεξάρτητα από τη διαφορά πείρας που είχαν στα ερωτικά θέματα, ήταν ο πιο σωστός και υπέροχος που θα μπορούσε να γνωρίσει ποτέ; Ίσως η μοίρα να αποφάσισε να τους φέρει κοντά για κάποιον λόγο.

Παρασυρμένη από τον ενθουσιασμό που της προκάλεσαν οι σκέψεις της, έπιασε το χέρι του Ραφαέλ και το ακούμπησε στο στήθος της. Εκείνος κράτησε την ανάσα του και άρχισε να τη χαϊδεύει σαν άνθρωπος διψασμένος που είχε μόλις βρει μια πηγή με νερό. Μετά από τα προκαταρκτικά παιχνίδια που ήταν γεμάτα πάθος, έκαναν υπέροχο έρωτα. Ήταν μαγεία. Αν ήταν στο χέρι της Κριστίνα να ακινητοποιήσει το χρόνο όσο βρισκόταν στην αγκαλιά του, θα το είχε κάνει. Με την ελπίδα ότι έτσι θα μπορούσε να ξαναζεί αυτή τη στιγμή ξανά και ξανά.

«Τι σκέφτεσαι;» Ανασηκώνοντας ελαφρά το κορμί του, ο Ραφαέλ γύρεψε το βλέμμα της.

«Ότι αυτή την ώρα είμαι συνήθως στο κρεβάτι».

«Μα το ίδιο κάνεις και τώρα».

«Είμαι στο κρεβάτι και κοιμάμαι», του διευκρίνισε η Κριστίνα ξεσπώντας σε γέλια.

«Μήπως μετάνιωσες που αργοπόρησες να αρχίσεις την κούρα ομορφιάς σου;» τη ρώτησε εκείνος νωχελικά, νιώθοντας τα μέλη του βαριά από την έντονη απόλαυση. Γιατί ο έρωτας με την Κριστίνα τον είχε ικανοποιήσει πέρα από κάθε προσδοκία. Επειδή εκείνη, μετά τις αρχικές τις ανασφάλειες και την αγωνία της για το άγνωστο, είχε συντονιστεί απόλυτα μαζί του, ανταποκρινόμενη πρόθυμα σε κάθε του επιθυμία.

«Θα έλεγα πως ήταν μια ευχάριστη αλλαγή», σχολίασε κάπως ντροπαλά η Κριστίνα και μετά γέλασε καθώς ο Ραφαέλ, τάχα θυμωμένος, τη δάγκωσε απαλά στο λαιμό, αφήνοντας ταυτόχρονα το χέρι του να γλιστρήσει ανάμεσα στα πόδια της και χαϊδεύοντας την ευαίσθητη, βελούδινη σάρκα που αποζητούσε με λαχτάρα το άγγιγμά του.

Και αν με αφήσει; Αν με βαρεθεί; Η φρικτή σκέψη που πέρασε ξαφνικά από το μυαλό της Κριστίνα, την έβγαλε για λίγο από την ηδονική της νάρκη, αναγκάζοντάς τη να παραδεχτεί πως ήταν παράξενο που ένας άντρας σαν τον Ραφαέλ είχε γυρίσει να την κοιτάξει. Άσε που της έλειπαν εντελώς και τα προσόντα που ίσως τη βοηθούσαν να διατηρήσει ζωντανό το ενδιαφέρον του! Ωστόσο αποφάσισε να τα ξεχάσει όλα και να θυμάται μόνο πόσο πολύ τον ήθελε.

Ίσως αυτό που χρειαζόταν τώρα εκείνος, μετά από τις αμέτρητες σεξουαλικές σχέσεις και τον δυστυχισμένο γάμο του, να ήταν κάποια όπως εκείνη. Αυτή η σκέψη τη γέμισε με αυτοπεποίθηση και αισιοδοξία.

«Δεν αισθάνεσαι υπέροχα;» ψιθύρισε έξαφνα στο αυτί της ο Ραφαέλ, τρίβοντας τολμηρά την ήβη της.

«Μήπως ο φουσκωμένος εγωισμός σου χρειάζεται επιβεβαίωση;» τον πείραξε η Κριστίνα με φωνή λαχανιασμένη λόγω της ηδονής που της προκαλούσε το χάδι του.

«Εμείς οι άντρες είμαστε ευαίσθητοι», παραδέχτηκε εκείνος και πήρε στα χείλη του τη θηλή της.

Η Κριστίνα ερεθίστηκε τόσο που άρχισε να βογκάει δυνατά και έκαναν έρωτα για άλλη μια φορά με απίστευτο πάθος και ένταση. Εξερευνούσαν τολμηρά ο ένας το κορμί του άλλου, μέχρι που η ηδονή έγινε αφόρητη, σαν γλυκός πόνος. Εκείνη του ανταπέδιδε τα αγγίγματά του, ανεξάρτητα από το πόσο ερεθιστικά ήταν, και απολάμβανε με την ψυχή της τις μικρές κραυγές του και τα ρίγη του κάτω από τα δάχτυλά της.

Τελικά, εξουθενωμένοι έκλεισαν τα μάτια τους. Το άλλο πρωί η Κριστίνα ξύπνησε σε ένα φωτεινό, ηλιόλουστο δωμάτιο, αλλά χωρίς τον Ραφαέλ στο πλευρό της.

Στο κομοδίνο όμως βρήκε ένα σημείωμα με το οποίο εκείνος την ενημέρωνε ότι θα επικοινωνούσε σύντομα μαζί της. Αυτό κράτησε ανάλαφρη την ψυχή της μέχρι την επόμενη ημέρα που άκουσε στο τηλέφωνο τη βαθιά, βελούδινη φωνή του και τότε συνειδητοποίησε για πρώτη φορά τι σημαίνει να είσαι ερωτευμένος.

* * *

Οι τρεις επόμενοι μήνες κύλησαν με κινηματογραφική σχεδόν ταχύτητα.

Ο Ραφαέλ της έδειχνε καθαρά πως την ήθελε και της Κριστίνα ούτε που της περνούσε από το μυαλό να του κάνει τη δύσκολη. Όσο κι αν η Άνθια της επαναλάμβανε αδιάκοπα ότι εκείνος δεν ήταν από τους τύπους που θα δέχονταν ποτέ να τη βοηθήσουν στις δουλειές του σπιτιού.

«Μα δεν έχω σκοπό να του φορέσω ποδιά!» διαμαρτυρόταν γελώντας η Κριστίνα κάθε φορά που η νεαρή βοηθός της ανακινούσε το θέμα.

Η Άνθια κουνούσε εντυπωσιασμένη το κεφάλι της. «Πολύ τυχερός είναι ο τύπος. Γιατί οι περισσότερες από μας χρεια-ζόμαστε κάποιον να μας βοηθάει σε όλα».

«Εμένα έτσι κι αλλιώς μου αρέσει η μαγειρική», υποστήριξε κάπως αμήχανα η Κριστίνα.

«Και του έχεις μαγειρέψει πολλές φορές;»

«Όχι... Του το πρότεινα, αλλά...»

«Αλλά προτιμάει να τρώτε έξω, σωστά;»

Η Κριστίνα δεν της απάντησε, γιατί μόλο που εκτιμούσε την Άνθια, δε θα της επέτρεπε να κριτικάρει τον Ραφαέλ. Ήταν υπέροχος πίσω από την αυστηρή του μάσκα. Τη σεβόταν και τη νοιαζόταν και ενδιαφερόταν πρωταρχικά για τη δική της ικανοποίηση κάθε φορά που έκαναν έρωτα. Αν και λιγομίλητος, γελούσε πολύ με τα αστεία της και της επαναλάμβανε αδιάκοπα πόσο υπέροχη και τέλεια ήταν. Επίσης έβρισκε πάντα χρόνο να είναι μαζί της στις προ-πονήσεις, ανακαλύπτοντας συνεχώς τρόπους για να τη βοη-θάει και να της συμπαραστέκεται.

Η Άνθια μάντεψε την ενόχλησή της.

«Το μόνο που σου ζητώ είναι να προσέχεις», της επισήμανε επιφυλακτικά. Η ίδια είχε γνωρίσει αρκετούς ακατάλληλους άντρες και ήξερε ότι τα αρσενικά σαν τον Ραφαέλ Ρότσι είναι άπιστα, ανίκανα να εκτιμήσουν ένα κορίτσι με καρδιά από χρυσάφι σαν την Κριστίνα, η οποία δεν ταίριαζε στο ρόλο της διακοσμητικής κούκλας που πιθανόν να χρειαζόταν εκείνος κάποια στιγμή.

Από την έρευνα που είχε κάνει γι' αυτόν η Άνθια στο διαδίκτυο, είχε ανακαλύψει κάμποσες φωτογραφίες του πλάι σε ψεύτικες κούκλες. Γι' αυτό και επιχείρησε για μια τελευταία φορά να βάλει μυαλό στη φίλη της.

«Δηλαδή τόσο δύσκολο θα ήταν να τον ρωτήσεις πού μπορεί να οδηγήσει η σχέση σας;» της πρότεινε μαλακά.

Η Κριστίνα δεν απέρριψε την πρόταση της Άνθια, όπως ήταν έτοιμη να κάνει αρχικά. Αντίθετα, αποφάσισε να την κουβεντιάσει σοβαρά με τον Ραφαέλ.

Έτσι, ένα απόγευμα που τον περίμενε, περιποιήθηκε τον εαυτό της ιδιαίτερα. Εκείνος θα γυρνούσε από ένα ταξίδι στη Βοστόνη όπου είχε περάσει τις τρεις τελευταίες η μέρες. Στο τηλέφωνο της είχε πει πόσο του έλειπε. Συχνά μιλούσαν πολύ ερωτικά όταν βρίσκονταν χώρια και τα λόγια του έκαναν το κορμί της Κριστίνα να ερεθίζεται κάθε φορά που τα ξανάφερνε στο μυαλό της.

Είχαν κανονίσει να φάνε έξω, όπως συνήθιζαν. Είχαν επισκεφθεί πολλά εστιατόρια όλο αυτόν τον καιρό και είχαν αγαπήσει κάποια απ' αυτά· έτσι είχαν γίνει σταθεροί πελάτες τους. Εκτός και τις φορές που η έλξη της κρεβατοκάμαρας γινόταν θανατηφόρα, δειπνούσαν συστηματικά σε κάθε τους συνάντηση σε ένα απ' αυτά.

Αυτή τη φορά όμως η Κριστίνα έφυγε νωρίτερα από τη δουλειά προκειμένου να μαγειρέψει. Ψάρι —διότι εξακολουθούσε να αγχώνεται για τα κιλά της— με λαχανικά. Τη συνταγή την είχε πάρει από τον Ιταλό μάγειρα που δούλευε στο πατρικό της. Φυσικά δεν είχε παραβλέψει να δημιουργήσει και την κατάλληλη ατμόσφαιρα με τη βοήθεια μερικών αρωματικών κεριών που είχε βρει σε ένα μικρό κατάστημα στη γωνία του σπιτιού της.

Όταν όλα ήταν έτοιμα, έριξε μια τελευταία ματιά στον καθρέφτη. Ευτυχώς το μαύρο φόρεμα που είχε διαλέξει κάλυπτε έξυπνα κάποια περιττά παχάκια, με αποτέλεσμα να αποφύγει την κρίση πανικού.

Αν και η αλήθεια ήταν πως ένιωθε πολύ ευτυχισμένη. Ο Ραφαέλ ήταν τέλειος. Ήταν το άλλο της μισό, ό,τι κι αν έλεγε η Άνθια. Βέβαια η σχέση τους ήταν ακόμα φρέσκια, αλλά... Ξαφνικά θυμήθηκε ότι είχε διαβάσει κάπου πως δυο ερωτευμένοι επιβάλλεται να ξέρουν από νωρίς αν θα μείνουν για πάντα μαζί ή όχι. Διαφορετικά, υπάρχει κίνδυνος να χωρίσουν ξαφνικά και ο ένας από τους δύο να παντρευτεί μέσα σε λίγους μήνες.

Έφερε στο μυαλό της τη ζωή της χωρίς εκείνον και πάγωσε κυριολεκτικά από το φόβο.

Σίγουρη πως θα ηρεμούσε αν έκανε μαζί του τη συζήτηση που της πρότεινε η Άνθια, του άνοιξε την πόρτα ορμητικά μόλις εκείνος χτύπησε το κουδούνι.

Αλλά όλη η σιγουριά της εξαφανίστηκε μόλις τον αντίκρισε, μαζί με οι σκέψεις της που φτερούγισαν μονομιάς σαν πουλιά στους πέντε ανέμους.

Ο Ραφαέλ είχε έρθει κατευθείαν από το αεροδρόμιο και φάνταζε τόσο γοητευτικός και αρρενωπός, που η Κριστίνα ένιωσε τα γόνατά της να λύνονται καθώς διέτρεχε με το βλέμμα της την επιβλητική κορμοστασιά του.

Εκείνος έσκυψε λαίμαργα πάνω της. Τα φλογερά, παράφορα φιλιά του πλημμύρισαν την καρδιά της με υποσχέσεις που ήξερε από πείρα ότι θα της τις ικανοποιούσε αργότερα στο κρεβάτι.

Όταν κάποια στιγμή χόρτασαν από φιλιά, ο Ραφαέλ οσμίστηκε τον αέρα σαν λαγωνικό.

«Τι είναι αυτή η μυρωδιά;» τη ρώτησε όλος περιέργεια.

«Μυρωδιά;» Όντας ακόμα παραζαλισμένη από τα φιλιά του, η Κριστίνα συνειδητοποίησε τι της έλεγε μόνο όταν τον είδε να ανεβαίνει τη σκάλα για τη μικρή της κουζίνα. «Α, αυτή η μυρωδιά εννοείς», σχολίασε καθησυχασμένη. «Αποφάσισα να μαγειρέψω. Πρόκειται για μια ιταλική συνταγή. Σκέφτηκα ότι τρώγοντας συνεχώς έξω, μπορεί και να μην παίρνουμε τις απαραίτητες βιταμίνες γι' αυτό...». Ξαφνικά πανικοβλήθηκε στη σκέψη πώς θα αντιδρούσε ο Ραφαέλ βλέποντας το λινό τραπεζομάντιλο, τα κρυστάλλινα ποτήρια του κρασιού και τα ρομαντικά κεριά με τα οποία είχε διακοσμήσει το τραπέζι, προφανώς όχι μόνο για λόγους διατροφικούς. «Τέλος πάντων», συνέχισε, τρέχοντας ξοπίσω του στις σκάλες, «δεν υπάρχει λόγος να μείνουμε αν...» Όταν όρμησε λαχανιασμένη στην κουζίνα, τον βρήκε να στέκεται μπροστά στο στρωμένο τραπέζι και να περιεργάζεται στοχαστικά τα καταραμένα τα κεριά. «Δεν έχω αντίρρηση να βγούμε έξω αν προτιμάς», κατέληξε, δαγκώνοντας νευρικά τα χείλη της.

Αλλά τα έχασε όταν είδε τον Ραφαέλ να στρέφεται με ένα πλατύ χαμόγελο προς το μέρος της.

«Σε καμία περίπτωση. Μοσχοβολάει τόσο υπέροχα εδώ μέσα που δε φεύγω με τίποτα», είπε και πλησιάζοντάς την, την έκλεισε σφιχτά στην αγκαλιά του. «Δεν ήξερα ότι το μαγείρεμα είναι άλλο ένα από τα ταλέντα σου», παρατήρησε ενθουσιασμένος με τις παραδοσιακές αρχές της που την καθιστούσαν ιδανική για γάμο και οικογένεια, σε αντίθεση με όλες τις άλλες γυναίκες που είχε γνωρίσει κατά καιρούς.

Η Κριστίνα πήρε μια βαθιά ανάσα σε μια προσπάθεια να ανακτήσει την ψυχραιμία της. «Δε θα έλεγα πως πρόκειται ακριβώς για ταλέντο», υποστήριξε, αλλά δε συνέχισε, καθώς ο Ραφαέλ τη ρώτησε αν είχε χρόνο να κάνει ένα ντους.

Είναι τέλεια, συλλογίστηκε ο Ραφαέλ. Έβαλε τα καλά της για χάρη μου και μου μαγείρεψε. Παλιά κάτι τέτοιο θα με έκανε να το βάλω στα πόδια, αλλά μετά την απόφασή μου να νοικοκυρευτώ...

Το γεγονός ότι η Κριστίνα διέθετε και το χάρισμα να χορταίνει με τρόπο ιδανικό τη σεξουαλική πείνα του αποτελούσε ένα επιπλέον προσόν που απέτρεπε την ανησυχία του μήπως και τη βαρεθεί. Αν επιτέλους αυτό συνέβαινε κάποια στιγμή, θα το αντιμετώπιζε ανάλογα. Αλλά προς το παρόν...

«Μήπως έχεις διάθεση να μπεις κι εσύ κάτω από το νερό;» της πρότεινε, ρίχνοντάς την ένα βλέμμα όλο νόημα που έφερε αυτόματα στο μυαλό της Κριστίνα εικόνες από το υπέροχο σεξ που έκαναν στο μπάνιο, όταν τα γλιστερά κορμιά τους γίνονταν ένα κάτω από το ντους.

Αλλά έσπευσε να τις διώξει στη στιγμή.

«Εγώ θα ασχοληθώ με το δείπνο μας». Στα αυτιά της ήχησαν ξαφνικά τα λόγια της Άνθια. «Μπορείς να έρθεις να με βοηθήσεις κι εσύ όταν θα είσαι έτοιμος. Αν το θέλεις φυσικά. Έτσι κι αλλιώς, σχεδόν όλα είναι έτοιμα».

Βλέποντας τον Ραφαέλ να την κοιτάζει με μια έκφραση κάπως παράξενη σαν να μην καταλάβαινε τι ακριβώς συνέβαινε, προτίμησε να σταματήσει τη συζήτηση εκεί και να τον αφήσει να πάει στο μπάνιο.

Εκείνος εμφανίστηκε στην κουζίνα είκοσι λεπτά αργότερα, με τα μαλλιά του ακόμα υγρά. Αυτή τη φορά δε φορούσε κοστούμι, αλλά τζιν και μια μαύρη φανέλα. Μόλο που δεν είχε φέρει ρούχα του στο σπίτι της, κατά καιρούς ξεχνούσε ορισμένα που η Κριστίνα τα έπλενε, τα σιδέρωνε και τα τοποθετούσε προσεκτικά στην ντουλάπα της δεύτερης κρεβατοκάμαρας, θεωρώντας την ύπαρξή τους στο σπίτι της ως καλό οιωνό για το κοινό τους μέλλον.

Ο Ραφαέλ, από την άλλη, αισθανόταν μέσα του απίστευτη γαλήνη και ηρεμία. Αφού έκανε μια υποτυπώδη προσπάθεια να κόψει τα μαρούλια και τα κρεμμυδάκια, στο τέλος άφησε τη σαλάτα για την Κριστίνα και με ένα ποτήρι κρασί στο χέρι κάθισε χαλαρός στην καρέκλα του προκειμένου να το απολαύσει με την ησυχία του.

Η χαριτωμένη φλυαρία της ήταν το καλύτερο ηρεμιστικό για τα τεντωμένα νεύρα του. Διότι εκείνη είχε πολλά θέματα να συζητήσει καθώς περνούσε όλη της την ημέρα σε ένα ανθοπωλείο και προπονούσε μια ομάδα κοριτσιών μια φορά την εβδομάδα. Του μιλούσε για ανθρώπους που είχε τύχει να γνωρίσει και την είχαν εντυπωσιάσει, του εκμυστηρευόταν τις σκέψεις της, του εμπιστευόταν τα όνειρά της. Το γεγονός ότι της έφταναν πολύ λίγα για να είναι ευχαριστημένη του άρεσε ιδιαίτερα. Κι αυτό επειδή ήξερε από πείρα ότι όσο πιο ικανοποιημένη αισθανόταν μια γυναίκα, τόσο μεγαλύτερη ελπίδα για διάρκεια είχε ένας δεσμός.

Τώρα η Κριστίνα του περιέγραφε τη δεύτερη σαλάτα που είχε φτιάξει, μια ποικιλία από θαλασσινά, με μια καυτερή σάλτσα ντομάτας και σερβιρισμένα με μαρούλι και ντομάτες.

«Μήπως σε κάνω να βαριέσαι;» τον ρώτησε έξαφνα προκαλώντας του απορία.

«Γιατί το λες αυτό;» τη ρώτησε μπερδεμένος.

«Επειδή μόνο εγώ μιλάω...» Τακτοποιώντας μια τούφα από τα μαλλιά της πίσω από το αυτί, τον κοίταξε σοβαρή. «Αναρωτιέμαι αν σε κουράζω με τις κοινοτοπίες που λέω. Υποθέτω πως σίγουρα εσύ θα έχεις να πεις πολύ πιο σημαντικά πράγματα».

Αντί να της απαντήσει, ο Ραφαέλ κάρφωσε μια γαρίδα με το πιρούνι του και την έβαλε στο στόμα της. Τον τρέλαινε αυτό το στόμα. Ήταν απίστευτα ερωτικό, ενώ ο τρόπος που μασούσε εκείνη την τροφή της ήταν τόσο προκλητικός που τον αναστάτωνε. Επίσης του άρεσε το γεγονός ότι δε μετρούσε την κάθε μπουκιά της. Απολάμβανε το φαγητό της με μια ηδονή που τον ερέθιζε απίστευτα.

Αυτή τη φορά όμως η Κριστίνα τον περίμενε υπομονετικά να μιλήσει, αδιαφορώντας για το περιεχόμενο του πιάτου της.

Έτσι κι εκείνος αποφάσισε να είναι ειλικρινής.

«Απολαμβάνω τρομερά το να σε ακούω να μου διηγείσαι όλα αυτά τα δραματικά που σου συμβαίνουν στη διάρκεια της ημέρας», της ομολόγησε με ένα χαμόγελο, αλλά εκείνη έσμιξε παραξενεμένη τα φρύδια της.

«Η δική μου ζωή είναι μάλλον συνηθισμένη και ασήμαντη, χωρίς τίποτα το δραματικό. Μάλλον η δική σου είναι που διαθέτει αυτό το στοιχείο», σχολίασε ήρεμα.

Αλλά εκείνος διαφώνησε.

«Κάνεις λάθος», παρατήρησε καθώς σηκωνόταν όρθιος και μασουλώντας ακόμα την τελευταία μπουκιά από τα ορεκτικά, άρχισε να μαζεύει τα βρόμικα πιάτα. «Εγώ ακούω όλη την ημέρα χρηματιστές, τραπεζίτες και δικηγόρους να μου μιλούν για εξαγορές επιχειρήσεων, συνθήκες που επικρατούν στις διεθνείς χρηματαγορές, κεφαλαιοποίηση χρεών και άλλα τέτοια. Κοντολογίς, η ζωή μου δεν έχει καθόλου δράμα».

Η Κριστίνα δεν τον πίστεψε, καθώς τα οικονομικά αποτελούσαν ανέκαθεν για κείνη πραγματικό εφιάλτη. Ευτυχώς που η Άνθια είχε ταλέντο σ' αυτόν τον τομέα και είχε αναλάβει τα λογιστικά του μαγαζιού. Σε άλλη περίπτωση θα του παραπονιόταν ξανά γι' αυτή της την αδυναμία κι εκείνος θα την πείραζε όπως συνήθως. Αυτή τη φορά όμως που είχε αποφασίσει να ξεκαθαρίσει τη σχέση της μαζί του, προτίμησε να αποσιωπήσει το θέμα.

«Τι συζητούσες συνήθως με.. τις προηγούμενες φίλες σου;» τον ρώτησε εντελώς ξεκάρφωτα, ξαφνιάζοντάς τον για τα καλά.

«Δε θυμάμαι καθόλου». Συνειδητοποιώντας ότι εκείνη φαινόταν τόσο απορροφημένη στον κόσμο της που μάλλον θα είχε ξεχάσει τα πάντα, έφερε ο ίδιος το ταψί με το ψάρι από το φούρνο και το σέρβιρε προσεκτικά στα πιάτα τους, εμποδίζοντας την Κριστίνα να κάνει οτιδήποτε. «Τι συμβαίνει;» τη ρώτησε σοβαρός όταν κάθισε ξανά απέναντί της.

Ή τώρα ή ποτέ, σκέφτηκε εκείνη και παίρνοντας μια βαθιά ανάσα κάρφωσε τα μάτια της στα δικά του.

«Ραφαέλ εγώ... θα πρέπει να ξέρω πού βαδίζουμε. Εννοώ... ποτέ δε σκέφτηκα να δημιουργήσω μια σχέση που δε θα είχε κανένα μέλλον», παραδέχτηκε σφίγγοντας νευρικά τα χέρια της κάτω από το τραπέζι, ενώ την ίδια στιγμή αναρωτιόταν αν ήταν σωστό αυτό που έκανε. «Μίλησα στους γονείς μου για μας. Δεν είπαν λέξη, αλλά είμαι σίγουρη πως δεν το εγκρίνουν. Υποθέτω ότι εσύ θα θεωρείς ανόητη τη στάση τους, ωστόσο...»

Σώπασε νιώθοντας το στομάχι της να σφίγγεται καθώς τα υπέροχα γαλάζια μάτια του την παρακολουθούσαν έντονα και με σκεπτικισμό. Ήταν το ίδιο βλέμμα που έβλεπε συνήθως στο πρόσωπό του όταν εκείνος μιλούσε με συνεργάτες του στο τηλέφωνο. Ένα βλέμμα αινιγματικό που την μπέρδευε και την έκανε να χάνει το κουράγιο της.

«Συνέχισε».

«Αυτό που προσπαθώ να σου πω είναι ότι δε συμβαδίζει με τις αρχές μου το να σπαταλάω τη ζωή μου σε εφήμερες σχέσεις». Η Κριστίνα έκανε μία παύση για να πάρει ανάσα. «Εγώ...» Ήταν έτοιμη να του ομολογήσει πως τον αγαπούσε, αλλά συγκρατήθηκε την τελευταία στιγμή. Ο Ραφαέλ δεν της είχε κάνει ποτέ λόγο για αγάπη και θα ήταν λάθος να αναφέρει εκείνη κάτι τέτοιο τώρα που του ζητούσε να ξεκαθαρίσουν τη σχέση τους.

«Κι αυτό είναι το σωστό».

Το απρόσμενο σχόλιό του την ξάφνιασε για τα καλά.

Ο Ραφαέλ έσκυψε προς το μέρος της, αναλογιζόμενος πόσο λάθος είχε αποδειχτεί ο πρώτος του γάμος, πόσο λάθος είχε κάνει προσφέροντας γονατιστός το δαχτυλίδι της μητέρας του.

«Το ήξερα από την αρχή ότι δε σου ταιριάζει ο ρόλος της ερωμένης», αναγνώρισε, συνειδητοποιώντας πόσο άχρηστες και περιττές είναι οι ανόητες ρομαντικές χειρονομίες. «Και είχα υπόψη μου τη σημασία που θα είχε για σένα το γεγονός ότι κάναμε έρωτα». Σώπασε για λίγο. «Δε θα ήθελα ποτέ να προσβάλω εσένα ή τους γονείς σου. Γι' αυτό πιστεύω ότι θα πρέπει να παντρευτούμε».

«Να παντρευτούμε;»

«Φυσικά».

Ήταν το τελευταίο που περίμενε να ακούσει η Κριστίνα. Μια πρόταση γάμου που είχε προκύψει από το πουθενά και μόνο ως αποτέλεσμα της κουβέντας που του έκανε η ίδια... Για κάμποση ώρα έμεινε να τον κοιτάζει σαστισμένη, μη μπορώντας να ερμηνεύσει λογικά τα όσα της είχε πει. Ώσπου οι λέξεις άρχισαν να αποκτούν νόημα στο μυαλό της και τότε κατάλαβε ότι ο Ραφαέλ όχι μόνο θεωρούσε σοβαρή τη σχέση τους, αλλά και ήταν πρόθυμος να δεσμευτεί μαζί της, κάτι που απέφευγε συστηματικά! Βέβαια, μπορεί η πρόταση γάμου που της είχε κάνει να μην ήταν η πιο ρομαντική του κόσμου, αλλά έτσι κι αλλιώς αυτό δεν ήταν πάντα το όνειρό της; Μια ερωτική ιστορία με παραμυθένιο τέλος;

Βλέποντάς τη να ξεσπάσει σε ένα χαρούμενο γέλιο, ο Ραφαέλ της έπιασε το χέρι και άρχισε να παίζει με το δάχτυλο που προορίζεται για τη βέρα του γάμου. «Αυτό σημαίνει ναι;»

τη ρώτησε σιγανά και η Κριστίνα κούνησε με έμφαση το κεφάλι της.

«Ναι! Ναι! Σίγουρα!»

«Ωραία». Ο Ραφαέλ έγειρε ευχαριστημένος πίσω στην καρέκλα του. «Χρειαζόμαστε το συντομότερο ένα δαχτυλίδι αρραβώνων. Προτείνω να απολαύσουμε για λίγο ακόμα την ηρεμία μας, μια και θα εξαφανιστεί μόλις μάθουν τα νέα οι γονείς μας».

Αλλά η Κριστίνα δεν τον άκουγε πια, καθώς η φαντασία της είχε ήδη αρχίσει να καλπάζει ανεξέλεγκτη. Ένα δαχτυλίδι! Θα αποκτούσε δαχτυλίδι αρραβώνων! Και θα παντρευόταν τον άντρα των ονείρων της! Τι καλύτερο θα μπορούσε να περιμένει;

Πηδώντας όρθια, όρμησε στην αγκαλιά του.

«Μήπως αυτό σημαίνει ότι μου προσφέρεις το γλυκό από τώρα;» ψιθύρισε βραχνά στο αυτί της ο Ραφαέλ.

«Σημαίνει απλώς ότι προσπαθώ να αξιοποιήσω την ηρεμία που έλεγες με τον καλύτερο δυνατό τρόπο», του δήλωσε η Κριστίνα λάμποντας ολόκληρη. «Όσο για το γλυκό...»

ΚΕΦΑΛΑΙΟ 6

Σ τις παλιές ρομαντικές ταινίες ο πρωταγωνιστής πρόσφερε πάντα γονατιστός το δαχτυλίδι στην αγαπημένη του. Καμιά φορά το έκρυβε και στο μπισκότο της, με αποτέλεσμα η Κριστίνα μονίμως να αναρωτιέται όταν ήταν μικρή τι θα συνέβαινε αν εκείνη το κατάπινε.

Εκείνη και ο Ραφαέλ όμως αποφάσισαν να διαλέξουν μαζί το δαχτυλίδι της, από το κοσμηματοπωλείο που είχε εκείνος επισκεφθεί και στο παρελθόν. Μόλο που η Κριστίνα θα ήθελε πολύ να μάθει τι είχε αγοράσει τότε, προτίμησε να μην τον ρωτήσει για να μην καταστρέψει τη γλυκιά, τρυφερή ατμόσφαιρα που υπήρχε μεταξύ τους. Ούτε και ανέφερε πως τα δικά της πολύτιμα κοσμήματα βρίσκονταν σε τραπεζική θυρίδα, μια και η ίδια, σε αντίθεση με τις αδερφές της, δεν άντεχε να είναι φορτωμένη με διαμάντια και μαργαριτάρια.

Ήλπιζε μονάχα το δαχτυλίδι των αρραβώνων να ήταν λιτό και διακριτικό όπως η ίδια. Ο Ραφαέλ όμως, που αρνήθηκε κατηγορηματικά να το αγοράσουν από την αλυσίδα των καταστημάτων του πατέρα της —μια πρόταση που του έκανε η ίδια όταν αντίκρισε με βουβή απόγνωση τα τεράστια, σαν κοτρόνες διαμάντια που τους παρουσίασαν στο κοσμηματοπωλείο όπου την πήγε— γέλασε με την ιδέα της να της πάρει κάτι φτηνό και πολύχρωμο, ώστε να μη στεναχωρηθεί αν το έχανε κατά τη διάρκεια της προπόνησης.

«Και πώς θα το χάσεις;» τη ρώτησε με απορία όταν σταμάτησε να γελάει.

Η Κριστίνα δεν μπόρεσε να μη διασκεδάσει με το προβλη-
ματισμένο ύφος του.

«Είναι εύκολο, δεν το καταλαβαίνεις; Η μπάλα έτσι κι αλ-
λιώς πετάει ανεξέλεγκτη. Πολλές φορές πέφτει πάνω μου και
με ρίχνει κάτω. Τα κορίτσια δυσκολεύονται να με ξεχωρίσουν
ανάμεσα στις συμπαίκτριές τους. Εκτός και αν το κάνουν
επίτηδες», κατέληξε με χιούμορ.

Αλλά αυτή τη φορά ο Ραφαέλ δε γέλασε μαζί της.

«Εννοείς ότι θα συνεχίσεις και μετά τον αρραβώνα μας να
ασχολείσαι με την προπόνηση της ομάδας;» τη ρώτησε και
όταν εκείνη του απάντησε με απόλυτη φυσικότητα ότι βε-
βαίως και θα συνέχιζε, άλλαξε συζήτηση και ενδιαφέρθηκε
να μάθει αν εκείνη είχε δει στη συλλογή με τα διαμαντένια
δαχτυλίδια κάποιο που να της άρεσε.

Αλλά η Κριστίνα αισθάνθηκε ξαφνικά πως η ατμόσφαιρα
μεταξύ τους είχε κάπως βαρύνει. Τότε του πρότεινε να πάνε
να τσιμπήσουν κάτι και να μιλήσουν.

«Τι να πούμε; Δεν μπορεί να μην υπάρχει σ' ολόκληρο
κατάστημα κάποιο δαχτυλίδι της αρεσκείας σου», διαφώνη-
σε ο Ραφαέλ.

Ωστόσο η Κριστίνα επέμεινε.

«Έλα μαζί μου», του είπε με σταθερή φωνή και βάζοντας
το μικρό της χέρι μέσα στο δικό του, τον παρέσυρε έξω στον
πεζοδρόμιο που ήταν γεμάτος νεαρά ζευγάρια και τουρί-
στες. Ο κόσμος απολάμβανε τον μαγιάτικο ήλιο του Σαββά-
του βολτάροντας στους δρόμους ή χαλαρώνοντας στις κα-
φετέριες τριγύρω.

Αφού κάθισαν κι εκείνοι σε μια απ' αυτές που σέρβιραν
εντυπωσιακούς καφέδες με άγνωστα ονόματα, καθώς και
κέικ, μπαγκέτες και οικολογικές σαλάτες σε υψηλές τιμές, η
Κριστίνα αναζήτησε αποφασιστικά το βλέμμα του πάνω από
τα φλιτζάνια που άχνιζαν μπροστά τους.

«Νομίζω ότι υπάρχει ένα θέμα που οφείλουμε να το συ-
ζητήσουμε», είπε με συγκρατημένη φωνή, έχοντας αρχίσει να
αντιλαμβάνεται ότι η μεγάλη χαρά που της είχε δώσει η
πρότασή του την εμπόδισε να δει καθαρά ορισμένα πράγμα-

τα. Όπως για παράδειγμα ότι ο Ραφαέλ ήταν Ιταλός και θεωρούσε χρέος του και δικαίωμά του να συντηρεί ο ίδιος τη γυναίκα του. Μόνο που εκείνη...

Παίρνοντας μια βαθιά ανάσα, προσπάθησε να του εξηγήσει τη θέση της. «Θέλω να ξέρεις ότι αγαπώ πολύ αυτό που κάνω, Ραφαέλ. Εγκαταστάθηκα στην Αγγλία μόνο και μόνο για να πραγματοποιήσω το όνειρο που είχα και να δημιουργήσω κάτι δικό μου. Το ανθοπωλείο αντιπροσωπεύει μια μεγάλη φιλοδοξία μου. Αναγνωρίζω ότι σε σύγκριση με τις δικές σου επιτυχίες είναι μηδαμινό και ασήμαντο, αλλά παρ' όλα αυτά, θέλω να ξέρεις ότι δεν έχω πρόθεση να το εγκαταλείψω όταν παντρευτούμε».

Εκείνος έσμιξε τα φρύδια του σκεφτικός.

«Δεν καταλαβαίνω για ποιο λόγο θα πρέπει να εργάζεται η γυναίκα μου», σχολίασε στο τέλος με βαριά φωνή.

«Επειδή δε ζούμε πια στη βικτοριανή εποχή», του υπέδειξε μαλακά η Κριστίνα. «Οι γυναίκες δε μένουν πια στο σπίτι για να μαγειρεύουν και να καθαρίζουν, περιμένοντας τον άντρα τους να γυρίσει από τη δουλειά».

«Μα εγώ δε σου ζήτησα να κάνεις τίποτα από όλα αυτά», υποστήριξε με θέρμη ο Ραφαέλ. «Στο σπίτι υπάρχει σεφ και την καθαριότητα την έχουν αναλάβει...»

«Κι εγώ τι θα κάνω όλη την ημέρα;» τον διέκοψε ήρεμα η Κριστίνα.

Ο Ραφαέλ ανασήκωσε τους ώμους του. «Ό,τι κάνουν και οι άλλες γυναίκες που δεν εργάζονται», σχολίασε μηχανικά.

Διώχνοντας βίαια την ίδια στιγμή την ανάμνηση της Έλεν, που, σε αντίθεση με την Κριστίνα, θεωρούσε πως το ύψιστο συζυγικό της καθήκον ήταν να σπαταλάει τα λεφτά του και κάλυπτε την απουσία του —λόγω των επαγγελματικών του υποχρεώσεων— με ηλίθιους χασομέρηδες άντρες που τόνωναν την ανόητη ματαιοδοξία της.

Είναι μεγάλη ειρωνεία που η Κριστίνα, αν και πλούσια η ίδια, με θεωρεί οπισθοδρομικό επειδή θέλω να περνάει τη ζωή της ξεκούραστα, σκέφτηκε με σαρκαστική διάθεση και τότε άκουσε και πάλι τη φωνή της.

«Δε θα ξέρω τι να κάνω».

«Και οι αδερφές σου; Εκείνες τι κάνουν;»

«Έχουν παιδιά, Ραφαέλ. Αλλά συμμετέχουν και σε πολλές κοινωνικές εκδηλώσεις με φιλανθρωπικό χαρακτήρα. Επίσης παίζουν τένις και γκολφ».

Ο Ραφαέλ κατέβαλε προσπάθεια να τη φανταστεί κι εκείνη σε έναν τέτοιο ρόλο, αλλά δεν τα κατάφερε. Επειδή απλούστατα η οπτική που είχε η Κριστίνα για τη ζωή ήταν εντελώς διαφορετική. Γι' αυτό και δεν έφερε σοβαρές αντιρρήσεις όταν την άκουσε να του ανακοινώνει στη συνέχεια ότι θα εξακολουθούσε και μετά το γάμο να κρατάει το ανθοπωλείο της, να προπονεί την ομάδα των κοριτσιών και να κυνηγάει το όνειρό της να ασχοληθεί με την αρχιτεκτονική κήπων.

«Δε θα αισθάνομαι άνετα αν ξέρω ότι η γυναίκα μου κουράζεται προσφέροντας υπηρεσίες σε άλλους», της ομολόγησε.

«Δε θα κάνω τίποτα τέτοιο», διαφώνησε μαλακά η Κριστίνα, αφήνοντας να της ξεφύγει ένας μικρός στεναγμός.

«Μα αν ασχοληθείς με την αρχιτεκτονική κήπων που σου έχει κολλήσει στο μυαλό, θα αναγκαστείς να ταξιδεύεις σε όλη τη χώρα και να φυτεύεις βολβούς!» διαμαρτυρήθηκε ο Ραφαέλ.

Η Κριστίνα δεν μπόρεσε να μη γελάσει.

«Δεν έχεις ιδέα από κηπουρική, σωστά;» σχολίασε τρυφερά. «Λοιπόν, μάθε ότι άδικα ανησυχείς. Η περιβόητη αρχιτεκτονική κήπου δεν είναι παρά μια απλή διαμόρφωση του χώρου στον οποίο θα μπει το κάθε παρτέρι. Όσο για τους βολβούς, τους βρίσκει πανεύκολα κανείς σε φυτώρια που υπάρχουν σε όλη τη χώρα και φυσικά στο Λονδίνο».

Ο Ραφαέλ την παρακολουθούσε σκεφτικός, καθώς εκείνη του παρέθετε τα επιχειρήματά της. Τελικά δεν είναι η παραδοσιακή σύζυγος που πίστεψα στην αρχή, συλλογίστηκε, διαβάζοντας την αποφασιστικότητα στο πρόσωπό της. Από την άλλη, μπορεί να μην είχε απαιτήσεις, αλλά ήξερε να διεκδικεί αυτό που ήθελε. Μάλλον εκείνος θα έπρεπε να υποχωρήσει. Άλλωστε δεν επρόκειτο και για καμιά σπουδαία ήττα. Δεν ήταν και τόσο τρομερό να κρατήσει η Κριστίνα το μικρό μαγαζί της, ούτε και να συνεχίσει να προπονεί τα κορίτσια. Ήταν περίπου το ίδιο σαν να πήγαινε σε ένα γυμναστήριο μια φορά την εβδομάδα. Όσο για την αρχιτεκτονική κήπων... Έτσι κι αλλιώς κανείς δεν της έχει προτείνει να αναλάβει κάτι τέτοιο, οπότε ήταν μάλλον ανόητο να καταναλώνει εκείνος φαιά ουσία για κάτι εντελώς υποθετικό. Αυτό που είχε σημασία ήταν ότι δεν είχε τίποτα κοινό με την Έλεν. Και παίρνοντας στα σοβαρά την αρχή ότι η αργία είναι μήτηρ πάσης κακίας, θα έπρεπε κανονικά να ήταν και ευχαριστημένος που εκείνη αγαπούσε τη δουλειά της.

Ικανοποιημένος που είχε επιτέλους ξεκαθαρίσει τα πράγματα μέσα του, χάρισε στην Κριστίνα το πιο ζεστό του χαμόγελο.

«Μάλλον έχεις δίκιο», παραδέχτηκε με έναν μορφασμό. «Βλέπεις μεγάλωσα σε ένα σπίτι όπου η οικοδέσποινα φρόντιζε μόνο την οικογένεια και... Πάντως πολύ φοβάμαι ότι ο σεφ θα χάσει τη δουλειά του μετά το δείπνο που μαγείρεψες τις προάλλες», σχολίασε αλλάζοντας θέμα και η Κριστίνα αναρωτήθηκε αν είχε ιδέα πόσο σέξι φάνταζε όταν χαμογελούσε όπως τώρα και οι σκληρές γραμμές του προσώπου του χαλάρωναν και γίνονταν λείες και απαλές. «Ωστόσο ομολογώ ότι μου άρεσε περισσότερο το γλυκό», συνέχισε εκείνος, κοιτάζοντάς τη με νόημα. «Πώς ακριβώς μου είπες ότι το λένε;»

«Σουτ!» Νιώθοντας τα μάγουλά της να πυρώνουν, η Κριστίνα του έγνεψε να σωπάσει. Διότι ο Ραφαέλ, επειδή αντιμετώπιζε εκείνος τον κόσμο με αδιαφορία, πίστευε ότι και οι άλλοι αδιαφορούσαν γι' αυτόν. Η ίδια όμως που φρόντιζε σε κάθε τους έξοδο να περιεργάζεται διακριτικά το περιβάλλον, ήξερε ότι όλα τα μάτια ήταν συνεχώς στραμμένα επάνω του, και ιδιαίτερα εκείνα των γυναικών.

Το έντονο χρώμα στα μάγουλά της έκανε τον Ραφαέλ να απορήσει.

«Συμβαίνει κάτι;» τη ρώτησε ξαφνιασμένος.

«Συμβαίνει ότι είναι ώρα να φύγουμε!», του ανακοίνωσε βιαστικά η Κριστίνα, ξέροντας ότι οι κοπέλες που κάθονταν στα γύρω τραπεζάκια παρακολουθούσαν τη συνομιλία τους με τρομερό ενδιαφέρον.

Ο Ραφαέλ συμφώνησε αμέσως.

«Πάμε κατευθείαν για το δαχτυλίδι», είπε ζωηρά καθώς τη συνόδευε μέχρι την έξοδο της καφετέριας. «Πιστεύω ότι στη συνέχεια θα πρέπει να κάνουμε και μια βόλτα μέχρι την έπαυλη. Είμαι σίγουρος ότι η μητέρα μου θα ενθουσιαστεί με τα νέα».

* * *

Η Κριστίνα ένιωθε κυριολεκτικά να πλέει σε πελάγη ευτυχίας, καθισμένη πλάι στον Ραφαέλ, κατευθυνόμενη προς το Λέικ Ντίστρικτ, κάνοντας την ίδια διαδρομή που είχε κάνει πριν από μερικούς μήνες ολομόναχη με το μικρό Μίνι της. Αυτή τη φορά απολάμβανε το ταξίδι μέσα στην πολυτελή του Μπέντλεϊ, έχοντας τη σιγουριά ότι την περίμενε ένα ονειρεμένο μέλλον στο πλευρό του άντρα που λάτρευε.

Το δαχτυλίδι του αρραβώνα το είχαν αγοράσει τελικά πριν από τρεις εβδομάδες. Δεν ήταν κάτι φτηνό και πολύχρωμο όπως ήθελε εκείνη, καθώς είχε μπουχτίσει να βλέπει από παιδί πολύτιμες πέτρες και κοσμήματα, αλλά ένα τεράστιο διαμάντι που ήθελε ο Ραφαέλ. Και η ίδια είχε συμβιβαστεί. Γιατί, αυτό δεν ήταν το μυστικό για την ευτυχία; Μήπως κι εκείνος δεν είχε κάνει τους δικούς του συμβιβασμούς στο θέμα της δουλειάς της;

Οι γονείς της είχαν φυσικά ενθουσιαστεί με το νέο του αρραβώνα. Τόσο που η Κριστίνα αναγκάστηκε να επιστρατεύσει όλη της την πειθώ προκειμένου να τους αποτρέψει από το να διοργανώσουν μια μεγάλη δεξίωση προς τιμήν της, όπως είχαν κάνει και με τις αδερφές της. Αλλά εκείνες τις αντιπροσώπευε αυτός ο τρόπος ζωής, ενώ την ίδια όχι.

Ήταν εφτά το απόγευμα όταν έφτασαν τελικά στην έπαυλη της Μαρίας. Η Κριστίνα στο μεγαλύτερο μέρος της διαδρομής κοιμόταν, πράγμα που μελαγχόλησε λιγάκι τον Ραφαέλ, μια και του έλειψε η αξιολάτρευτη φλυαρία της για πρόσωπα και πράγματα. Μάλιστα, τον τελευταίο καιρό είχε παρατηρήσει ότι όταν επέστρεφε στο σπίτι μετά από μια ιδιαίτερα κουραστική μέρα, βιαζόταν να της μιλήσει στο τηλέφωνο μόνο και μόνο για να ακούσει το γλυκό και τρυφερό τιτίβισμά της που τον ηρεμούσε και τον διασκέδαζε απίστευτα.

«Φτάσαμε», ανακοίνωσε κάπως δυνατά, καθώς πάρκαρε το αυτοκίνητο στο πλακόστρωτο της έπαυλης, μπροστά στην αρχοντική, μεγάλη είσοδο.

Η Κριστίνα άνοιξε αργά τα μάτια της και χασμουρήθηκε.

«Συγνώμη, φοβάμαι πως κοιμήθηκα», μουρμούρισε με ύφος ένοχο.

«Κοιμόσουν και ροχάλιζες», της δήλωσε ξερά ο Ραφαέλ.

«Λες ψέματα!»

Βλέποντας τον πανικό στο πρόσωπό της, ο Ραφαέλ ξέσπασε σε γέλια και τη φίλησε λαίμαργα στο στόμα.

«Αυτό ακριβώς θέλω να κάνουμε όλο το Σαββατοκύριακο», την προειδοποίησε. «Τουλάχιστον όσο η μητέρα μου θα είναι ξύπνια, διότι δεν εγκρίνει τίποτα περισσότερο. Φοβάμαι ότι τις νύχτες θα αναγκάζομαι να έρχομαι στο δωμάτιό σου κρυφά», κατέληξε καθώς άφηνε το χέρι του να γλιστρήσει τολμηρά κάτω από την μπλούζα της για να αγγίξει το στήθος της.

Το γεγονός ότι η Κριστίνα δε φορούσε σουτιέν τον ερέθισε τρομερά, αλλά ακόμα πιο πολύ τον ερέθισε η θηλή της, που ορθώθηκε αμέσως μόλις την άγγιξε ο αντίχειράς του. Νιώθοντας τρελός από τον πόθο, ήθελε να της πετάξει τα ρούχα και να την κάνει δική του πάνω στα πανάκριβα δερμάτινα καθίσματα του πολυτελούς αυτοκινήτου, τραβήχτηκε όμως απρόθυμα μακριά της και εισέπνευσε βαθιά για να καταπολεμήσει το φούντωμα που ένιωθε.

«Καλύτερα να πάμε μέσα. Η μητέρα μου στέκεται στο παράθυρο της σάλας και μας κουνάει το χέρι».

Η Κριστίνα τον είδε με μάτια θολά να βγαίνει από το αυτοκίνητο. Ετοιμάστηκε να κάνει κι εκείνη το ίδιο, μόνο που η αναστάτωση που της είχε προκαλέσει το άγγιγμα του Ραφαέλ ήταν αβάσταχτη. Μέχρι τότε πίστευε ότι ο έρωτας μέσα στο αυτοκίνητο αφορούσε μόνο τους εφήβους. Τώρα όμως ήταν σίγουρη ότι αν δεν είχε εμφανιστεί η Μαρία στο παράθυρο και βρίσκονταν κάπου απόμερα, θα τον είχε αφήσει ευχαρίστως να την κάνει δική του.

Και μόνο που φανταζόταν το κεφάλι του Ραφαέλ χωμένο ανάμεσα στα πόδια της κι εκείνον να τη φιλάει άγρια στο στήθος πριν ανηφορίσει στα χείλη της, της προκαλούσε τέτοια διέγερση που ένιωθε επιτακτική την ανάγκη ενός παγωμένου ντους.

Ωστόσο, παρ' όλο που έλιωνε σαν κεράκι στο παραμικρό άγγιγμά του, δεν έδειξε καμία ενόχληση όταν ανακάλυψε —ακριβώς όπως το είχε προβλέψει εκείνος— ότι ανάμεσα στα ξεχωριστά δωμάτια που τους είχε ετοιμάσει η Μαρία μεσολαβούσε ένας ολόκληρος διάδρομος. Κι αυτό επειδή ήξερε ότι το ίδιο θα έκαναν και οι γονείς της, οι οποίοι μόνο παντρεμένη με όλους τους τύπους θα μπορούσαν να τη φανταστούν στο κρεβάτι ενός άντρα.

Αλλά στον έβδομο ουρανό όπου ζούσε η ίδια τους τελευταίους μήνες, κάτι τέτοιες λεπτομέρειες ήταν ασήμαντες. Της ήταν αρκετό που θα περνούσε δυο ολόκληρες μέρες ζώντας κάτω από την ίδια στέγη με τον Ραφαέλ, έστω και σε χωριστά δωμάτια. Επίσης ήταν ενθουσιασμένη που θα είχε την ευκαιρία να γνωρίσει καλύτερα τη μητέρα του. Και που θα απολάμβαναν όλοι μαζί ζεστό, σπιτικό φαγητό, αντί να καταστρέφουν το στομάχι τους στα διάφορα εστιατόρια.

«Ξέρω ότι το παρακάνω», ομολόγησε με ύφος ένοχο λίγες ώρες αργότερα, καθώς έπαιρνε και δεύτερη μερίδα από τα καταπληκτικά λαζάνια της Μαρίας. «Θα έπρεπε κανονικά να αποφύγω το πολύ τυρί». Αναστέναξε. «Αλλά μου είναι αδύνατον». Καθώς μιλούσε θυμήθηκε τη σπιτική τούρτα που είχε δει νωρίτερα στο ψυγείο και την οποία θα δοκίμαζε σίγουρα το συντομότερο. Αλλά και τα τρία ποτήρια από το ξηρό, γευστικό κρασί που είχε καταναλώσει με το φαγητό της. Τότε αναγνώρισε ότι ήταν σίγουρα εξαιρετικά επιρρεπής στις παρασπονδίες, αλλά από την άλλη πώς θα μπορούσε και να αντισταθεί μέσα σε ένα τόσο ευχάριστο και χαλαρό κλίμα, με τον Ραφαέλ να της ανοίγει συνεχώς την όρεξη με τις ευφυείς ατάκες του και τη Μαρία να τους αφηγείται κωμικά περιστατικά από γεγονότα που είχε ζήσει με τους γονείς της;

Η Μαρία όμως δε συμμερίστηκε καθόλου την άποψή της.

«Ανοησίες», της δήλωσε κατηγορηματικά, γελώντας κεφάτα. «Εγώ σε βρίσκω υπέροχη. Το κορμί σου θυμίζει το κορμί της θεάς Αφροδίτης. Γιατί, πρέπει να ξέρεις ότι οι άντρες δε συμπαθούν πραγματικά τις κοκαλιάρες. Αγαπούν τα πιασίματα!»

Τα λόγια της έκαναν τον Ραφαέλ —που είχε σηκωθεί εκείνη τη στιγμή για να πάει στην κουζίνα τα πιάτα— να ξεσπάσει σε τρανταχτά γέλια.

Μόλις έμειναν μόνες, η Μαρία στράφηκε φανερά ευτυχισμένη προς το μέρος της Κριστίνα.

«Δεν έχεις ιδέα πόσο χαίρομαι που ο Ραφαέλ ακολούθησε επιτέλους τη συμβουλή μου», της εκμυστηρεύτηκε γεμάτη ανακούφιση.

«Αλήθεια; Και ποια ήταν αυτή;» τη ρώτησε με αθώο ενδιαφέρον η Κριστίνα.

Η Μαρία της έπιασε το χέρι και η Κριστίνα της έσφιξε το δικό της με έκδηλη συμπάθεια.

«Μα να νοικοκυρευτεί, φυσικά. Διότι κινδύνευε να γεράσει ολομόναχος. Του έδωσα να καταλάβει ότι όφειλε το συντομότερο να διαλέξει την κατάλληλη γυναίκα!» Αναστέναξε με φανερή ικανοποίηση. «Πρέπει να σου ομολογήσω πάντως ότι ούτε εγώ δε θα κατάφερνα να διαλέξω καλύτερη νύφη! Αλλά τώρα, γλυκιά μου, θα πρέπει να σας αφήσω...» Χασμουρήθηκε. «Στο ψυγείο έχει γλυκό. Δυστυχώς οι ηλικιωμένοι αρχίζουν να νυστάζουν από νωρίς...»

Η Κριστίνα άκουσε τον εαυτό της να απαντάει με φυσικότητα σε κάθε σχόλιο της Μαρίας. Πως ναι, θα δοκίμαζε οπωσδήποτε την τούρτα... Πως φυσικά και ήξερε ποιο ήταν το δωμάτιό της... Πως ασφαλώς και θα ξυπνούσε νωρίς το άλλο πρωί για να πάνε μαζί στην αγορά...

Στην πραγματικότητα όμως το μόνο που υπήρχε στ' αυτιά της ήταν ένα αφόρητο βουητό. Θυμήθηκε άθελά της πόσο είχε χαρεί λίγο πριν που είδε τον Ραφαέλ να κάνει δουλειές του σπιτιού. Τώρα το μόνο που ήθελε ήταν να κλειδωθεί στο δωμάτιό της και να σκεφτεί διεξοδικά τη συμβουλή της Μαρίας στο γιο της, περί ανεύρεσης της κατάλληλης συζύγου, μήπως και τα κατάφερνε να βγάλει κάποια άκρη.

Γιατί δεν ήταν λίγες οι φορές που είχε αναρωτηθεί τι στο καλό μπορούσε να γυρεύει ένας τόσο όμορφος, γοητευτικός και σέξι άντρας σαν τον Ραφαέλ από μια σχετικά ασήμαντη νεαρή όπως η ίδια. Εκείνος την έκανε αδιάκοπα να νιώθει αισθησιακή και ποθητή, αλλά όταν εξέταζε μόνη το είδωλό της στον καθρέφτη, δεν έβλεπε μπροστά της τη γυναίκα που θα του ταίριαζε πραγματικά.

Δε μου είπε ποτέ ότι με αγαπάει, παραδέχτηκε με θλίψη, νιώθοντας δάκρυα να ανεβαίνουν στα μάτια της. Απλώς εκείνη ήταν τόσο ανόητη που πίστεψε ότι εκείνος το ένιωθε, γιατί για ποιον άλλο λόγο θα της ζητούσε να τον παντρευτεί; Ακόμα και η πρόταση γάμου που της έκανε δεν είχε καμία σχέση με τις συνηθισμένες προτάσεις των ερωτευμένων. Εκείνη όμως βιάστηκε να την προσπεράσει, πείθοντας τον εαυτό της ότι εκείνος δεν ήταν ο τύπος του ρομαντικού άντρα που θα γονάτιζε ποτέ μπροστά της ή θα της αφιέρωνε τραγούδια και ποιήματα.

Καθώς στο μυαλό της στριφογύριζαν πυρετικά αυτές οι σκέψεις, κάνοντας θρύψαλα τον παραμυθένιο γυάλινο πύργο μέσα στον οποίο ζούσε τους τελευταίους μήνες, είδε τον Ραφαέλ να εμφανίζεται στο κατώφλι της τραπεζαρίας. Η πετσέτα που είχε ριγμένη ανέμελα στον ώμο του, τον έκανε να δείχνει σαν βολεμένος νοικοκύρης. Μόνο που η εικόνα ήταν εντελώς παραπλανητική, γιατί ο ρόλος τού ταίριαζε τόσο όσο και σε ένα άγριο θηρίο της ζούγκλας.

Ο Ραφαέλ κοντοστάθηκε για λίγο στην πόρτα διστακτικός. Οι ευαίσθητες κεραίες του έπιαναν κάτι περίεργο στην ατμόσφαιρα, μόνο που δεν ήξερε τι ακριβώς ήταν αυτό. Στο τέλος πήγε κοντά στην Κριστίνα, στάθηκε πίσω της και σκύβοντας τη φίλησε στο λαιμό. Το γεγονός ότι βρισκόταν στην έπαυλη της μητέρας του και μπορούσε να νιώθει ευτυχισμένος και χαλαρός χωρίς να φοβάται ότι το άλλο πρωί θα ήταν υποχρεωμένος να ακούσει τα δικά της επικριτικά σχόλια, ήταν ό,τι καλύτερο μπορούσε να περιμένει. Απόλυτα πεπεισμένος ότι η ολόψυχη αποδοχή της μνηστής του από τη μητέρα του ήταν το καλύτερο συστατικό για την προσωπική του ευτυχία, της ψιθύρισε στο αυτί ότι ήταν ελεύθεροι να αποσυρθούν στο δωμάτιό της.

Αλλά η Κριστίνα αποτραβήχτηκε ελαφρά, αποφεύγοντας το βλέμμα του.

«Δεν... δεν αισθάνομαι άνετα. Προτιμώ να είμαστε διακριτικοί όσο βρισκόμαστε εδώ», είπε χαμηλόφωνα.

Προκαλώντας ένα αρκετά δυσάρεστο πλήγμα στην καλή του διάθεση.

«Ποιος είναι τώρα αναχρονιστικός, με παλιομοδίτικες α-ντιλήψεις;» διαμαρτυρήθηκε με παράπονο ο Ραφαέλ. «Η μητέρα μου δεν είναι ανόητη, ξέρεις. Αποσύρθηκε νωρίς μόνο και μόνο για να μας αφήσει ελεύθερους να κάνουμε ό,τι θέλουμε».

Η Κριστίνα χρειάστηκε να επιστρατεύσει όλη της τη θέληση, προκειμένου να αντισταθεί στη θανατηφόρα γοητεία του που έκανε το κορμί της να τρεμουλιάζει σαν φύλλο. Στο τέλος, προκειμένου να ξεφύγει από την αγκαλιά του, μάζεψε τα υπόλοιπα πιάτα και τα πήγε στην κουζίνα.

Εκεί διαπίστωσε ότι ο Ραφαέλ είχε επιχειρήσει να γεμίσει το πλυντήριο των πιάτων, αλλά όλες τις βρόμικες πιατέλες και τα κάπως μεγαλύτερα σκεύη τα είχε αφήσει στοιβαγμένα μέσα στο νεροχύτη.

«Θα αποτελειώσω εγώ τις δουλείες εδώ», έσπευσε να πει, προτιμώντας να πλύνει ένα βουνό από πιατικά παρά να βρεθεί μονάχη μαζί του. «Εσύ μπορείς να πας και να ξαπλώσεις. Θα πρέπει να είσαι εξαντλημένος μετά από τόσες ώρες που οδηγούσες».

«Θα προτιμούσα να με κοιτάζεις όταν μου μιλάς», της υπέδειξε ήρεμα ο Ραφαέλ. «Εκτός κι αν βρίσκεσαι σε κάποια από κείνες τις περίεργες ψυχολογικές καταστάσεις που είναι πολύ συχνές στις γυναίκες».

Ακούγοντας την παρατήρησή του, η πρώτη της παρόρμηση ήταν να του βάλει τις φωνές. Αλλά τελικά συγκρατήθηκε και σφίγγοντας τα δόντια της, προσπάθησε να εκφραστεί όσο το δυνατόν πιο συγκρατημένα.

«Πίστευα ότι γνώριζες περισσότερα για τις γυναίκες».

«Τι θα πει αυτό;» μουρμούρισε ο Ραφαέλ κάπως παγερά

και βάζοντας τα χέρια του στους ώμους της, την υποχρέωσε να στραφεί προς το μέρος του.

Η Κριστίνα όμως αντί να τον κοιτάξει, προτίμησε να καρφώσει τα μάτια της στο πάτωμα.

Μέχρι που άρχισε να συλλογίζεται πως ίσως να είχε παρεξηγήσει τα λόγια της Μαρίας ή και να είχε αντιδράσει υπερβολικά, παρερμηνεύοντας ένα αθώο σχόλιο.

Τότε αποφάσισε να τον αντιμετωπίσει με ευθύτητα και να ξεκαθαρίσει τα πράγματα μαζί του.

«Η μητέρα σου κι εγώ είχαμε μία συζήτηση όσο ήσουν στην κουζίνα», τον ενημέρωσε με ουδέτερη φωνή.

«Και λοιπόν;»

«Μου είπε ότι...»

«Το θεωρείς απαραίτητο να μάθω;» τη διέκοψε κάπως εκνευρισμένος ο Ραφαέλ. «Γιατί νομίζω ότι θα μπορούσαμε να κάνουμε πολύ πιο ευχάριστα πράγματα από το να συζητάμε».

«Απλώς θα ήθελα να διασαφηνίσω το ότι κατάλαβα λάθος...»

«Όπως νομίζεις». Προετοιμάζοντας τον εαυτό του για μια απ' αυτές τις ανιαρές συζητήσεις στις οποίες συμμετείχε μόνο με το δέκα τοις εκατό του εγκεφάλου του και η οποία ήταν σίγουρος ότι θα αφορούσε τις προετοιμασίες του γάμου ή κάτι άλλο αντίστοιχης σημασίας —που πολύ θα ήθελε να κάνει την Κριστίνα να το αγνοήσει—, ο Ραφαέλ άφησε την πετσέτα στον πάγκο, ξαφνιασμένος με τη σοβαρή έκφρασή της που φανέρωνε πως εκείνη το θεωρούσε σημαντικό. «Θα ήθελες να σου σερβίρω λίγη τούρτα;»

Ακούγοντάς τον, η Κριστίνα θυμήθηκε το σχόλιο της Μαρίας για τη σιλουέτα της. Την είχε περιγράψει ως γυναίκα με πιασίματα. Φυσικά με πρόθεση να της κάνει φιλοφρόνηση, μόνο που δεν πέτυχε. Γιατί εκείνη ήξερε ότι οι άντρες προτιμούσαν τις ξανθές και αδύνατες γυναίκες τύπου Μπάρμπι, ανεξάρτητα με το τι πίστευε η Μαρία. Οπότε, το ερώτημα για το λόγο που ο Ραφαέλ ήταν μαζί της παρέμενε αναπάντητο, προκαλώντας της έναν αφόρητο πονοκέφαλο και την επιθυμία να το βάλει στα πόδια.

«Ευχαριστώ, αλλά καλύτερα όχι. Δεν έχω όρεξη».

«Τώρα αρχίζω να ανησυχώ πραγματικά», την προειδοποίησε τάχα έντρομος εκείνος.

Αλλά η Κριστίνα δε γέλασε με το αστείο του.

«Μιλάω σοβαρά, Ραφαέλ», είπε κάπως πιο απότομα απ' ό,τι συνήθως, κάνοντάς τον να συνοφρυωθεί. Μάλλον επειδή για πρώτη φορά δυσκολεύεται να μαντέψει τι σκέφτομαι, συλλογίστηκε, συνειδητοποιώντας πόσο τρομερά προβλέψιμη ήταν πάντα. Χαρούμενη, πρόθυμη, γελαστή, έτοιμη να ανταποκριθεί σε κάθε επιθυμία του.

Μόνο που τώρα κάτι είχε αλλάξει.

«Θα ήθελες να τα πούμε καλύτερα στο σαλόνι;» του πρότεινε ευγενικά.

Ο Ραφαέλ ανασήκωσε αδιάφορα τους ώμους.

«Φυσικά, αν αυτό είναι που θέλεις», συμφώνησε αμέσως.

Η Κριστίνα βγήκε πρώτη στο διάδρομο. Καθώς τον διέσχιζε για να πάει στο πρόχειρο σαλόνι που έβλεπε στον κήπο και το οποίο χρησιμοποιούσε η Μαρία όταν δε φιλοξενούσε κόσμο, είχε το άσχημο προαίσθημα πως ο γυάλινος πύργος της θα γινόταν σύντομα σκόνη και πως η ίδια θα γύριζε στην εικόνα της αδέξιας, στρουμπουλής Ιταλίδας, αφήνοντας πίσω της την αυταπάτη της όμορφης και επιθυμητής γυναίκας που της είχε εμπνεύσει ο Ραφαέλ.

«Λοιπόν, τι έλεγες;»

Στην αρχή η Κριστίνα δεν του απάντησε. Κυρίως επειδή είχε απορροφηθεί στο να ρουφάει αχόρταγα την εικόνα του καθώς εκείνος καθόταν δίπλα της στον καναπέ. Ώσπου κάποια στιγμή τρεμόπαιξε τα μάτια της και προσπάθησε να βάλει τις σκέψεις της σε κάποια τάξη.

«Πρόκειται για κάτι που ανέφερε η μητέρα σου. Θα ήθελα να μου το εξηγήσεις».

«Στο προκείμενο, Κριστίνα».

Άραγε είναι τόσο ανυπόμονος επειδή βιάζεται να μάθει τι με πλήγωσε, αναρωτήθηκε εκείνη ή επειδή έχει συνηθίσει να με αντιμετωπίζει κάπως αυταρχικά, κάτι που εγώ προτιμούσα να παραβλέπω τόσο καιρό;

«Είπε ότι ήταν πολύ χαρούμενη... που αποφάσισες να νοικοκυρευτείς».

«Συμφωνώ. Γιατί; Εσύ έχεις αντίρρηση;»

Η Κριστίνα δεν απάντησε στην ερώτησή του.

«Είπε επίσης ότι σε είχε συμβουλεύσει να... να βρεις την κατάλληλη σύζυγο». Η πικρία που είχε ξαφνικά χρωματίσει τη φωνή της έκανε τον Ραφαέλ να την κοιτάξει με καχυποψία. «Πρέπει να μάθω τι συμβαίνει, Ραφαέλ», συνέχισε η Κριστίνα αποφασιστικά, αγνοώντας τις αντιδράσεις του. «Μία κατάλληλη σύζυγος; Αυτό είμαι για σένα;» κατέληξε με ένα πάθος που πήγαζε κατευθείαν από την καρδιά της.

Αλλά εκείνος δε φάνηκε να εκτιμά το γεμάτο συγκίνηση ξέσπασμά της.

«Άρχισες να γίνεσαι υστερική, κι εμένα δε μου αρέσουν οι υστερίες», την προειδοποίησε κοφτά.

«Δεν είμαι υστερική. Απλώς θέλω να μάθω αν βρίσκομαι εδώ επειδή ανταποκρίνομαι στο ρόλο της κατάλληλης συζύγου που είχε στο μυαλό της η μητέρα σου».

Ο Ραφαέλ ενοχλήθηκε με την επιμονή της.

«Δεν καταλαβαίνω για ποιο λόγο σε κάνει να αγανακτείς τόσο αυτή η λέξη», διαμαρτυρήθηκε έντονα, βλέποντας με θλίψη το χαλαρό Σαββατοκύριακο που είχε τόσο επιθυμήσει να καταστρέφεται άνευ λόγου. Η Κριστίνα έκανε άχρηστες και περιττές ερωτήσεις που δεν είχαν καμία αξία. Το γιατί του ήταν αδύνατον να το κατανοήσει. Διότι κατά τη γνώμη του εκείνη θα έπρεπε κανονικά να χαίρεται που τη θεωρούσε κατάλληλη για σύζυγό του! Ποια μεγαλύτερη φιλοφρόνηση θα μπορούσε να της είχε κάνει από το να εγκωμιάσει την καταλληλότητά της ως συζύγου του;

Στο μεταξύ η Κριστίνα είχε μείνει να τον κοιτάζει αποσβολωμένη, καθώς συνειδητοποιούσε ότι όλες οι ελπίδες της για τυχόν παρερμηνεία των λόγων της Μαρίας είχαν γίνει σκόνη.

Αλλά ο Ραφαέλ που εξακολουθούσε να θεωρεί ότι εκείνη είχε χρέος να παραδεχτεί το λάθος της, συνέχισε να επιμένει ακάθεκτος πάνω στο θέμα.

«Ε, λοιπόν ναι, η μητέρα μου ήταν εκείνη που με έπεισε ότι

έφτασε η ώρα να νοικοκυρευτώ». Ανασήκωσε αδιάφορα τους ώμους του. «Τι πρόβλημα βλέπεις πάνω σ' αυτό; Όλοι οι άντρες έτσι κι αλλιώς έρχεται κάποια στιγμή που βάζουν στη ζυγαριά το γάμο και την εργένικη ζωή και αναγνωρίζουν ότι έχει κι αυτός τα πλεονεκτήματά του».

«Δηλαδή είναι κάτι σαν επαγγελματική συναλλαγή», παρατήρησε χαμηλόφωνα η Κριστίνα, βλέποντας με τη φαντασία της μια ζυγαριά με τα θέλγητρα μιας έκλυτης ζωής στον έναν δίσκο και στον άλλον την ίδια.

Ποιος τρελός θα άφηνε ποτέ τόση απόλαυση, αν δεν υπήρχε το κίνητρο της αγάπης; αναρωτήθηκε με ένα βάρος στην καρδιά.

Γιατί, όσο σημαντικό κι αν θεωρούνταν το μπόνους της παρουσίας μιας συζύγου στο σπίτι, η οποία θα μεγάλωνε τα παιδιά και θα μαγείρευε, ο γάμος θα ήταν καταδικασμένος. Μήπως λοιπόν υπήρχε και λίγη αγάπη από τη μεριά του Ραφαέλ;

«Ώστε αυτό θα ήταν κάτι σαν επαγγελματική συναλλαγή, κατά κάποιο τρόπο;»

Κάρφωσε γεμάτη λαχτάρα τα μάτια της πάνω του, με την ελπίδα να ακούσει από τα χείλη του μια λέξη που θα καθησύχαζε τους φόβους της.

Εκείνος όμως την κοίταξε ενοχλημένος.

«Γιατί επιμένεις να χρησιμοποιείς τόσο δυσάρεστες εκφράσεις;» αναφώνησε όλος αγανάκτηση.

Η Κριστίνα δεν του απάντησε. Γύρισε μόνο το πρόσωπό της από την άλλη για να μη δει εκείνος τα δάκρυά της.

«Δεν πρόκειται να πετύχει αυτός ο γάμος, Ραφαέλ». Βγάζοντας το δαχτυλίδι από το δάχτυλό της, στράφηκε προς το μέρος του και του το έτεινε ήρεμα. «Το διαμάντι ήταν έτσι κι αλλιώς πολύ μεγάλο για την αισθητική μου. Άλλωστε με εμποδίζει και στις δουλειές». Πίεσε τον εαυτό της να χαμογελάσει. «Θα έπρεπε να είχα καταλάβει τι σήμαινε το δαχτυλίδι. Αλλά δεν καταφέραμε να έχουμε μια ειλικρινή συζήτηση ούτε καν πάνω σ' αυτό».

Μέχρι να έρθει η στιγμή να φύγουν, ο χρόνος κύλησε αργά και εφιαλτικά, όλος ένταση και μιζέρια. Ο Ραφαέλ είχε αρνηθεί να πάρει το δαχτυλίδι. Αντίθετα, κοιτάζοντάς την ψυχρά της είχε συστήσει να υπολογίσει τις συνέπειες σε περίπτωση που το έβγαζε από το δάχτυλό της. Εννοώντας φυσικά τις εξηγήσεις που θα όφειλε η Κριστίνα να δώσει στη μητέρα του. Και τι θα της έλεγε, άλλωστε; Ότι τα είχε καταστρέψει όλα επειδή ενοχλήθηκε από τη συναλλαγή που της εξασφάλιζε ως σύζυγο έναν από τους πιο περιζήτητους εργένηδες του κόσμου;

Έτσι, συνέχισε να φοράει το διαμάντι που της τσιμπούσε σαν αγκάθι το δέρμα και να χαμογελάει.

Ευτυχώς η δικαιολογία ότι θα ασχολιόταν σύντομα με την αρχιτεκτονική κήπων, τη βοήθησε αρκετά στο να εξαφανίζεται στην εξοχή κάμποσες ώρες, δηλώνοντας ότι αντλούσε έμπνευση από τους κήπους των τριγύρω αρχοντικών. Ευτυχώς η Μαρία, μόλο που έδειχνε να απορεί κάπως με τη στάση της, ήταν πολύ διακριτική για να πει οτιδήποτε.

Τη στιγμή όμως που η Κριστίνα την αγκάλιαζε για να την αποχαιρετήσει, δεν μπόρεσε να μην αναρωτηθεί μήπως ήταν έτοιμη να κάνει τη μεγαλύτερη τρέλα της ζωής της, κλοτσώντας την ευκαιρία να παντρευτεί τον άντρα με τον οποίο ήταν τρελά ερωτευμένη.

Η σκέψη όμως ότι ο Ραφαέλ αισθανόταν για κείνη μονάχα μια προσωρινή ερωτική έλξη και τίποτα παραπάνω, την εμπόδισε από το να του ζητήσει να ξεχάσει τα όσα είπε. Ωστόσο ούτε το γεγονός ότι εκείνος τη θεωρούσε κατάλληλη για σύζυγό του, ούτε η φιλία των δύο οικογενειών, ούτε και το ότι ανήκαν στην ίδια κοινωνική τάξη μπορούσε να διαγράψει το γεγονός ότι ο γάμος θα ήταν για κείνον μια καλή επένδυση. Κάτι που ο Ραφαέλ μάλλον ήλπιζε πως η ίδια δε θα το ανακάλυπτε ποτέ, ακριβώς επειδή ήταν αρκετά έξυπνος ώστε να γνωρίζει ότι εκείνη θα ήταν αντίθετη. Έτσι, ήταν έτοιμος να την αφήσει να ανέβει τα σκαλοπάτια της εκκλησίας τρισευτυχισμένη και νιώθοντας ευγνωμοσύνη που εκείνος της έκανε το δώρο να την παντρευτεί.

Τώρα το θέμα ήταν ότι θα έπρεπε να φροντίσει ώστε ο αρραβώνας να διαλυθεί χωρίς ανακοινώσεις και με απόλυτη διακριτικότητα. Γιατί θα προτιμούσε να πάρει ένα φτυάρι και να σκάψει μόνη το λάκκο της, από το να παραδεχτεί σε οποιονδήποτε ότι ετοιμαζόταν να παντρευτεί κάποιον που την έβλεπε σαν επένδυση. Ήταν ήδη σε θέση να προβλέψει κάποιες αντιδράσεις. Οι αδερφές της θα χαμογελούσαν με συμπάθεια και θα τη συμβούλευαν να το ξανασκεφτεί, ενώ πίσω από την πλάτη της θα ευχαριστούσαν τον Θεό που εκείνες είχαν συζύγους που τις αγαπούσαν. Όσο για τους γονείς της, ενώ φαινομενικά θα ήταν ψύχραιμοι και θα έκαναν ό,τι περνούσε από το χέρι τους για να τη στηρίξουν, μόλις κλείνονταν στην κρεβατοκάμαρά τους θα έκλαιγαν που το μωρό τους ήταν τόσο άτυχο και δυστυχισμένο.

Και φυσικά, στην πρόσκληση που της έκανε η Μαρία να επιστρέψει το συντομότερο στην έπαυλη, παρέθεσε ένα σωρό δικαιολογίες. Κοιτάζοντας φευγαλέα το διαμάντι στο δάχτυλό της που φαινόταν σαν να την κορόιδευε με τη λάμψη του, απάντησε ότι παρ' όλο που η φύση στο Λέικ Ντίστρικτ ήταν τέλεια και ιδανική για ανθρώπους σαν την ίδια που όσο κι αν αγαπούσαν το Λονδίνο, δυσκολεύονταν να προσαρμοστούν στους γρήγορους και επιτακτικούς ρυθμούς του, τα καινούρια επαγγελματικά σχέδια που έκανε με τη βοήθεια της Άνθια και που αφορούσαν το άνοιγμα ενός νέου ανθοπωλείου στο Νιου Φόρεστ, στον τόπο καταγωγής της υπαλλήλου της, απαιτούσαν για ένα διάστημα την παρουσία της στην πόλη.

Αυτό που προσπαθούσε στην ουσία ήταν να βάλει τα θεμέλια της απομάκρυνσής της από την οικογένεια Ρότσι.

Αλλά η Μαρία δεν έδειξε να το αντιλαμβάνεται.

«Έχεις σημαντικές προσωπικές φιλοδοξίες, απ' ό,τι βλέπω», σχολίασε εντυπωσιασμένη. «Το βρίσκω πολύ καλό αυτό. Δυστυχώς οι περισσότερες κοπέλες της τάξης μας προτιμούν να ζουν ξοδεύοντας άσκοπα τα χρήματα που οι γονείς τους αγωνίστηκαν σκληρά να κερδίσουν. Και στη συνέχεια αναρωτιούνται για ποιο λόγο δε νιώθουν ευτυχισμένες», κατέληξε, ρίχνοντας ένα φευγαλέο βλέμμα στο γιο της.

Η Κριστίνα ήταν σίγουρη ότι η Μαρία έκανε αυτόματα τη σύγκριση ανάμεσα σ' εκείνη και την πρώτη γυναίκα του Ραφαέλ, έτσι έσπευσε να πει κάτι για να της αποσπάσει την προσοχή, αφού το να είναι καλύτερη δεν ωφελούσε σε τίποτα τα σχέδιά της.

«Όλα θα γίνουν στην ώρα τους. Με τον Ραφαέλ έχουμε συζητήσει ακόμα και το ενδεχόμενο να εγκατασταθούμε μόνιμα στην επαρχία. Αλλά φοβάμαι ότι για την ώρα είπα πάρα πολλά. Το τι θα γίνει τελικά, θα το αποφασίσει ο χρόνος».

«Η παράσταση που έδωσες ήταν πολύ πειστική», τη διαβεβαίωσε λίγα λεπτά αργότερα ο Ραφαέλ, καθώς το σπίτι χανόταν από τα μάτια τους.

«Πάρε σε παρακαλώ το διαμάντι σου. Δεν αντέχω να το φοράω άλλο», μουρμούρισε η Κριστίνα και αδιαφορώντας για την παρατήρησή του, έβγαλε το δαχτυλίδι και το άφησε προσεχτικά πάνω στο κουτί των ταχυτήτων, αποφεύγοντας το βλέμμα του.

Ο Ραφαέλ συνέχισε να έχει καρφωμένο το βλέμμα του στο δρόμο.

«Κάνεις ένα μεγάλο λάθος», της είπε μαλακά, σαν να συνέχιζε μαζί της μια κουβέντα που είχαν ήδη αρχίσει.

«Θα έκανα μεγαλύτερο αν δεχόμουν να παντρευτούμε», του αποκρίθηκε η Κριστίνα, συγκρατώντας με δυσκολία τον πόνο και την απελπισία που την πλημμύριζαν.

Όσο κι αν είχε αποφασίσει να διατηρήσει μια αξιοπρεπή σιωπή σε όλη τη διάρκεια του ταξιδιού, δεν μπορούσε να αφήσει αναπάντητη μια τέτοια παρατήρηση.

«Πώς έβγαλες αυτό το συμπέρασμα;»

«Εγώ...» Νιώθοντας το κορμί της να πονάει από τη λαχτάρα και τον πόθο της για κείνον, έβαλε τα δυνατά της να συγκρατήσει τα δάκρυα που είχαν ανέβει στα μάτια της. «Ζούσα με την εντύπωση ότι μας έδενε κάτι το ιδιαίτερο, ενώ στην πραγματικότητα...»

«Θα βρεις χαρτομάντιλα στο ντουλαπάκι μπροστά σου», της υπέδειξε ήρεμα ο Ραφαέλ, εξοργίζοντάς την.

«Πώς... πώς μπορείς να είσαι τόσο... τόσο... τόσο ψυχρός και ασυγκίνητος!» ξέσπασε, νιώθοντας εντυπωσιασμένη και η ίδια με την ολοκαίνουρια ικανότητά της να εκφράζει καθαρά την οργή της.

Πού πήγε εκείνο το πράο κοριτσόπουλο που ήταν πάντα γελαστό και δεν ύψωνε ποτέ τον τόνο της φωνής του; αναρωτήθηκε ο Ραφαέλ ακούγοντάς την, αλλά προτίμησε να κρατήσει την απορία για τον εαυτό του.

«Δεν είμαι ψυχρός», τη διαβεβαίωσε υπομονετικά. «Απλώς προσπαθώ να κατευνάσω τα πνεύματα. Με τις φωνές δε βγαίνει τίποτα».

«Σωστά, με συγχωρείς. Ξέχασα πως σε ενοχλούν οι υστερίες».

«Ασφαλώς και με ενοχλούν». Χωρίς καμία προειδοποίηση εκείνος βγήκε από τον αυτοκινητόδρομο, έστριψε το αυτοκίνητο σε έναν παράδρομο και έσβησε τη μηχανή.

«Τι κάνεις;» τον ρώτησε καχύποπτα η Κριστίνα μόλις τον είδε να λύνει τη ζώνη του και να γυρνάει αποφασιστικά προς το μέρος της.

«Ετοιμάζομαι να συζητήσουμε».

«Μπορούμε να το κάνουμε και καθώς οδηγείς», είπε νευρικά η Κριστίνα, δαγκώνοντας τα χείλη της.

«Μπορούμε πράγματι, αλλά προτιμώ να σε κοιτάζω καταπρόσωπο όταν θα με αποκαλείς τέρας».

«Δε σε αποκάλεσα ποτέ κάτι τέτοιο!»

«Αλήθεια; Με κατηγόρησες ότι σε υποτίμησα όταν αποφάσισα πως είσαι κατάλληλη για γυναίκα μου. Τόσο μεγάλη προσβολή είναι δηλαδή αυτή που σου έκανα;»

«Δυο άνθρωποι δεν μπορούν να παντρευτούν με μοναδικό κριτήριο την καταλληλότητα», παρατήρησε στεγνά η Κριστίνα και συνέχισε να κοιτάζει ίσια μπροστά της, αποφεύγοντας το βλέμμα του.

«Αυτό που θέλεις είναι να σου πω ότι σ' αγαπώ», είπε ήρεμα ο Ραφαέλ και για μια στιγμή εκείνη θέλησε να γείρει πάνω του και να του κλείσει το στόμα με το χέρι της, μόνο και μόνο για να τον εμποδίσει να ξεστομίσει τις επόμενες λέξεις που ήξερε ότι θα την πλήγωναν. «Αλλά δεν μπορώ να το κάνω». Ορίστε, το είχε πει! Και μάλιστα με ύφος θυμωμένο, μια και θεωρούσε πως ήταν η σειρά του να εξοργιστεί με την απόρριψη της τόσο γενναιόδωρης προσφοράς του. «Έχω ήδη ζήσει μια ιστορία αγάπης και έχω αποφασίσει ότι είμαι μια χαρά και χωρίς αυτήν. Προτιμώ να μου λείπει».

«Ναι, αλλά..» Νιώθοντας την καρδιά της να ραγίζει από τον πόνο, η Κριστίνα προσπάθησε να κρατηθεί από την τρυφερή ανάμνηση των ευτυχισμένων στιγμών που είχαν μοιραστεί, σαν το ναυαγό από τη σανίδα σωτηρίας. «Όταν κάναμε έρωτα...» ψέλλισε σιγανά. «Ήταν κι αυτό προσχεδιασμένο;»

«Μη γίνεσαι γελοία!»

Αυτή τη φορά η Κριστίνα ένιωσε μια μανιασμένη οργή.

«Δεν είμαι γελοία!»

«Μπράβο!» Ο Ραφαέλ δεν μπόρεσε να κρύψει την έκπληξή του. «Δεν είχα ιδέα ότι η φωνή σου μπορεί ακόμα και τζάμι να σπάσει με την έντασή της!»

«Ούτε κι εγώ το ήξερα!» Παίρνοντας δυο βαθιές ανάσες, η Κριστίνα έβαλε τα δυνατά της να καλμάρει. «Επαναλαμβάνω. Όταν κάναμε έρωτα...»

«Ήταν απλώς υπέροχα». Η φωνή του Ραφαέλ έπεσε μια οκτάβα καθώς ξανάφερνε στη μνήμη του μία προς μία τις μαγικές στιγμές που είχαν μοιραστεί κάτω από τα σεντόνια. Γιατί τώρα εκείνη είχε γίνει ξαφνικά τόσο δύσκολη; Εντάξει, μπορεί η συμπεριφορά του να μην ήταν καθόλου ρομαντική, αλλά πίστευε ότι εκείνη θα κατανοούσε την άποψή του. Για μια στιγμή σκέφτηκε να απλώσει το χέρι του και να την αγγίξει, αλλά στη σκέψη ότι θα ήταν ικανή ακόμα και να τον χτυπήσει, συγκρατήθηκε. «Κάνε μου τη χάρη και προσπάθησε να σκεφτείς λίγο πιο ψύχραιμα», της είπε μαλακά. «Περνάμε καλά μαζί, κάνουμε υπέροχο έρωτα... Τι άλλο μπορούμε να ζητήσουμε;»

Εκείνη υποδέχτηκε τα λόγια του με ένα πικρόχολο χαμόγελο.

«Εσύ τα βρίσκεις όλα λογικά. Ακόμα και το να στηρίξουμε έναν γάμο στα δεδομένα που ανέφερες». Ξαφνικά συνειδητοποίησε ότι είχε αρχίσει να ζηλεύει παθιασμένα εκείνη την άλλη γυναίκα που είχε κλέψει όλη την αγάπη του Ραφαέλ, αφήνοντάς τον στεγνό και δίχως όνειρα, σαν λογιστικό φύλλο όπου καταγράφονταν μόνο κέρδη και ζημιές. Βάζοντας τα δυνατά της να κυριαρχήσει στον πόνο της, συνέχισε: «Το μέλλον, Ραφαέλ, δεν είναι μια επιχείρηση που θα πρέπει να διέπεται από τους νόμους της αγοράς. Γι' αυτό και αποκλείεται να δεσμεύσω τη ζωή μου με κάποιον, επειδή αυτό είναι απλώς λογικό. Αντίθετα, προτιμώ να θυσιάσω όλη μου τη ζωή περιμένοντας εκείνον που θα μου προσφέρει την αληθινή αγάπη».

Για κάμποσα λεπτά ο Ραφαέλ δεν είπε τίποτα, καθώς προσπαθούσε να εκτιμήσει την κατάσταση. Ώσπου κατάλαβε ότι η Κριστίνα τον χώριζε πραγματικά, παρά τον συμβιβασμό που είχε κάνει ο ίδιος μπροστά στον κίνδυνο να γεράσει ολομόναχος.

«Δεν υπάρχει αληθινή αγάπη!» φώναξε αγανακτισμένος, μόλο που ήξερε ότι αυτός δεν ήταν ο καλύτερος τρόπος για να την πείσει να παρατήσει τις υστερίες που θα την έκαναν αργότερα να μετανιώσει πικρά.

«Κατά τη δική σου άποψη, μπορεί», τον αντέκρουσε απότομα η Κριστίνα, απορώντας άλλη μια φορά για το αγριεμένο πλάσμα που έκρυβε τόσα χρόνια μέσα της χωρίς να το ξέρει. «Το γεγονός όμως ότι εσύ προσπάθησες να βρεις την ευτυχία και δεν τα κατάφερες, δε σημαίνει ότι πρέπει κι εγώ απαραίτητα να *παραιτηθώ* από το όνειρό μου!»

«Πριν από σαράντα οκτώ μόλις ώρες το όνειρό σου ήταν να γίνεις γυναίκα μου», της υπενθύμισε εκείνος. «Δεν καταλαβαίνω τι άλλαξε από τότε. Είμαι ο ίδιος άνθρωπος, κοίταξέ με!» Η φωνή του ακούστηκε σχεδόν προστακτική. «Μήπως έξαφνα μεταμορφώθηκα σε εξωγήινο; Έγινα τέρας; Μου φύτρωσε δεύτερο κεφάλι; Τι έγινε, τέλος πάντων;»

Όταν ήθελε μπορούσε να γίνει πολύ πειστικός· η Κριστίνα το ήξερε καλά. Μάλιστα, κάποτε της είχε δηλώσει, με μια μικρή δόση αυταρέσκειας στη φωνή, ότι ήταν άξιος να καταφέρει τα πάντα. Ακόμα και να την πείσει ότι η αγάπη είναι μόνο μια λέξη. Μόνο που εδώ έκανε λάθος.

«Δεν καταλαβαίνεις», του είπε σιγανά.

«Τότε διαφώτισέ με εσύ». Ο Ραφαέλ την περίμενε να απαντήσει, αλλά εκείνη δεν το έκανε. «Ωραία, θα αναλάβω εγώ να ξεκαθαρίσω τα θέματα ένα προς ένα. Όταν είμαστε μαζί περνάμε καλά;»

«Υποθέτω».

«Υποθέτεις;»

«Εντάξει, ναι, περνάμε. Αλλά, Ραφαέλ, τι σχέση μπορεί να έχει αυτό;»

«Σε παρακαλώ να μη με διακόπτεις. Λοιπόν. Σε διεγείρω ερωτικά;»

«Αυτό είναι άδικο! Ξέρεις καλά πως ναι».

«Το ξέρω». Ο Ραφαέλ χαμογέλασε αυτάρεσκα καθώς την έφερε στο μυαλό του να βογκάει από ηδονή με τα χάδια του. «Παρακάτω. Πιστεύεις ότι δε θα έσπευδα κατευθείαν να ικανοποιήσω οποιαδήποτε ανάγκη σου;»

«Μιλάς για το προφανές, Ραφαέλ!»

«Αυτό ακριβώς είναι η ζωή, Κριστίνα. Το προφανές. Όταν αρχίζουμε να την αναλύουμε και να τη χωρίζουμε σε γκρίζες ζώνες, τότε είναι σαν να κάνουμε βουτιά μέσα σε κινούμενη άμμο. Να σου πω κάτι;»

Η πρώτη της σκέψη ήταν να αρνηθεί καθώς ήξερε ότι εκείνος θα μπορούσε εύκολα να την παρασύρει μέσα στην κινούμενη άμμο του και να την αφήσει εκεί για πάντα.

«Τι πράγμα;» τον ρώτησε βραχνά και η φωνή της ακούστηκε ξένη στ' αυτιά της.

«Υπάρχει ένα μέρος όπου δεν έχουμε ακόμα κάνει έρωτα».

Τα λόγια του έκαναν την ατμόσφαιρα να ηλεκτριστεί στη στιγμή. Η Κριστίνα ένιωσε τις άμυνές της να την εγκαταλείπουν καθώς το κορμί της φούντωνε κάτω από το βλέμμα του που την υπνώτιζε, προκαλώντας της έντονη ανατριχίλα.

Ωστόσο έκανε μια απεγνωσμένη προσπάθεια να αντισταθεί.

«Δεν... Δεν μπορείς να με παρασύρεις έτσι...» του είπε τραυλίζοντας.

«Να σε παρασύρω;» επανέλαβε εύθυμα ο Ραφαέλ, νιώθοντας ότι είχε ξανά τον έλεγχο. «Αν σε άκουγε κανείς, θα νόμιζε ότι σε αναγκάζω με το ζόρι», συνέχισε και απλώνοντας το χέρι του να την ελευθερώσει από τη ζώνη ασφαλείας, δεν μπόρεσε να συγκρατήσει ένα χαμόγελο ικανοποίησης ακούγοντάς τη να κρατάει την ανάσα της όταν το μπράτσο του τρίφτηκε πάνω στο στήθος της. «Μπορείς να ισχυριστείς πως η ιδέα μου ήταν κακή;» μουρμούρισε περιπαιχτικά και σκύβοντας πάνω της, σφράγισε τα χείλη της, δίνοντάς της ένα παθιασμένο φιλί που έκανε το μυαλό της να αδειάσει από κάθε λογική σκέψη.

Η πρώτη της παρόρμηση ήταν να τον σπρώξει από πάνω της, τελικά όμως τη συνεπήρε το πάθος και τότε διαπίστωσε ότι το μόνο που λαχταρούσε ήταν να δέσει τα χέρια της γύρω από το λαιμό του και να παραδοθεί άνευ όρων στα φιλιά του που δεν τα χόρταινε ποτέ.

Τη μισή νύχτα την είχε περάσει κατηγορώντας τον εαυτό της για το λάθος της να μπλεχτεί μαζί του. Την άλλη μισή, κάνοντας νοερά άπειρα κηρύγματα στον Ραφαέλ, σχετικά με τη σημασία της αγάπης και την ιερότητα του γάμου. Μέχρι που τον έβλεπε να πέφτει στα γόνατα και να την ικετεύει να του διδάξει το πώς να αγαπά. Το αποτέλεσμα όλων αυτών ήταν να ξυπνήσει το πρωί νιώθοντας νικήτρια, σαν να είχε παλέψει με έναν φανταστικό παντοδύναμο εχθρό και να τον είχε νικήσει.

Μόνο που όλη αυτή η αυτοπεποίθηση και η σιγουριά ότι είχε το δίκιο με το μέρος της έγιναν σκόνη μόλις εκείνος τόλμησε να την αγγίξει. Γιατί του επιτρέπω να με παρασύρει έτσι, Θεέ μου; αναρωτήθηκε με απελπισία, νιώθοντας τον ερεθισμένο ανδρισμό του να τρίβεται πάνω στο λεπτό ύφασμα της καλοκαιρινής φούστας της, έχοντας ήδη πάρει την ιδανική θέση για να μπορέσουν να κάνουν έρωτα μέσα στον περιορισμένο χώρο του αυτοκινήτου.

«Δεν το θέλω αυτό».

Ο Ραφαέλ έμεινε ακίνητος. Κρατώντας το πρόσωπό της μέσα στις χούφτες του, την κοίταξε σοβαρός βαθιά στα μάτια. Γιατί το τελευταίο που θα έκανε ποτέ, ήταν να υποχρεώσει μια γυναίκα να κάνει έρωτα μαζί του. Δεν το χωρούσε το μυαλό του

«Το εννοείς;» τη ρώτησε συγκρατημένα.

Μόλο που η Κριστίνα αισθάνθηκε να πνίγεται μέσα στα λαμπερά γαλάζια μάτια του, προσπάθησε να κρατήσει το μυαλό της καθαρό. Η αγκαλιά του όμως επηρέασε καταλυτικά την κρίση της.

«Ναι. Όχι. Δηλαδή... δεν ξέρω...»

«Μήπως να σε βοηθήσω να αλλάξεις γνώμη;», της πρότεινε με φωνή απαλή ο Ραφαέλ και αφήνοντας τα χέρια του να γλιστρήσουν κάτω από τη φούστα της που είχε ανέβει ψηλά στους μηρούς της, άρχισε να παίζει προκλητικά με το λάστιχο του εσωρούχου της και να χαϊδεύει το στομάχι της.

Μέχρι που η Κριστίνα αισθάνθηκε το κορμί της να παίρνει φωτιά.

«Δεν μπορώ να συγκεντρωθώ όταν κάνεις τέτοια πράγματα», διαμαρτυρήθηκε έντονα, αλλά η επιθυμία στον τόνο της φωνής της ήταν τόσο ξεκάθαρη, που ένιωσε αποκαρδιωμένη.

Σε αντίθεση με τον Ραφαέλ που πλημμύρισε από ικανοποίηση.

«Θα έλεγα πως η αυτοσυγκέντρωση είναι κάτι υπερτιμημένο», σχολίασε με ύφος ανέμελο, καθώς γλιστρούσε το δείκτη του λίγο χαμηλότερα πάνω από το εσώρουχο, στη μεταξένια σάρκα που του υποσχόταν την απόλυτη ευτυχία.

Σε δευτερόλεπτα η Κριστίνα ένιωσε τα δάχτυλά του να γλιστρούν μέσα στο δαντελένιο σλιπ της και σπαρτάρισε πάνω στο κάθισμα. Η αντίδρασή της έκανε τον Ραφαέλ να αφήσει ένα πνιχτό βογκητό.

«Αυτό που συμβαίνει είναι μια τρέλα», μουρμούρισε άθελά της η Κριστίνα, χωρίς ωστόσο να είναι και τόσο σίγουρη. Διότι η σχέση τους χρειαζόταν έναν επίλογο και το να κάνουν έρωτα για μια τελευταία φορά πιθανόν να ήταν ο καλύτερος. Άλλωστε το είχε ανάγκη να τον νιώσει και πάλι μέσα της πριν τον χάσει για πάντα. «Εννοώ ότι υπάρχει κίνδυνος να μας δει κάποιος περαστικός», υποστήριξε, έχοντας αποφασίσει να κρατήσει για την ίδια τις αληθινές της σκέψεις.

Ακούγοντας την τελευταία φράση της, ο Ραφαέλ, ανάσανε με φανερή ανακούφιση. Διότι ένιωθε το κορμί του τόσο ξαναμμένο, που δεν είχε ιδέα τι θα έκανε αν τον απέρριπτε εκείνη.

«Μην ανησυχείς, κανείς δεν περνάει ποτέ πεζός απ' αυτά τα μέρη», την καθησύχασε με βαριά φωνή καθώς τρυγούσε τα χείλη της.

Χαϊδεύοντας με το ένα χέρι το στήθος της, έτριβε με το άλλο ρυθμικά τη βελούδινη ήβη της που παλλόταν σε κάθε του κίνηση. Η ανταπόκρισή της τον ερέθιζε τρομερά, όπως τον ερέθιζε και η επίγνωση ότι ήταν αδύνατον για την Κριστίνα να του αντισταθεί ακόμα και θυμωμένη.

Αυτό το τελευταίο τον έκανε ξαφνικά να νιώσει σαν κυρίαρχος του κόσμου.

Το μπουστάκι που φορούσε εκείνη άνοιγε μπροστά με μια σειρά από μικρά κουμπιά. Παρά το γεγονός ότι ο Ραφαέλ θα προτιμούσε να σχίσει το ρούχο διότι αισθανόταν έτοιμος να εκραγεί από τον πόθο, άρχισε να τα ξεκουμπώνει αργά ένα ένα, αποφασισμένος να φτάσει και τους δυο τους στα όριά τους.

Με κάθε του κίνηση αποκαλυπτόταν κάτω από τα αχόρταγα μάτια του και ένα νέο ροδαλό κομμάτι από την υπέροχη απαλή σάρκα της. Τη στιγμή που της έβγαλε το μεταξωτό σουτιέν και αντίκρισε τις σκληρές θηλές της να ξεπηδούν από μέσα, πίστεψε πως θα παραφρονούσε.

Ευτυχώς η Μπέντλεϊ αποδείχτηκε εξαιρετικά βολική και άνετη για δύο εκρηκτικούς εραστές που φλέγονταν από την επιθυμία να γευτούν ο ένας τον άλλον. Κρατώντας βιαστικά αυτή τη μικρή υποσημείωση στο μυαλό του, ο Ραφαέλ άρχισε να χαϊδεύει με τα χείλη του τη μια θηλή της με απίστευτη απόλαυση.

Τώρα ήταν απόλυτα βέβαιος πλέον ότι άδικα είχε ανησυχήσει νωρίτερα όταν η Κριστίνα του επέστρεψε το δαχτυλίδι, γιατί παρά τα όσα του είχε καταλογίσει εκείνη, ήταν φανερό ότι δεν άντεχε με τίποτα να τον στερηθεί.

Πλήρως ικανοποιημένος τώρα πια με τον εαυτό του, της έβγαλε βιαστικά το εσώρουχο και χάθηκε μέσα της.

Παραδομένη σε συναισθήματα και αισθήσεις που τη συγκλόνιζαν, η Κριστίνα είδε το κεφάλι του να γέρνει πάνω της και έκλεισε αργά τα μάτια της. Εκείνος λάτρευε το κορμί της. Πάνω σ' αυτό δεν είχε την παραμικρή αμφιβολία. Ο τρόπος που περιεργαζόταν κάθε λεπτομέρεια πάνω της, ο τρόπος που τη χάιδευε, που τη γευόταν πεινασμένα, έδειχνε πως το απολάμβανε με όλη του την ψυχή.

Κοντολογίς αυτό που τον έλκυε σ' εκείνη ήταν το λιγότερο σημαντικό κομμάτι της.

Αυτή η σκέψη τής προκάλεσε έναν οξύ πόνο, αλλά δε στάθηκε να την αναλύσει. Διώχνοντάς τη βιαστικά από το μυαλό της, αφέθηκε χαλαρή στην ερωτική φλόγα του Ραφαέλ που κατάφερνε πάντα να αφυπνίζει μέσα της ένα πλήθος από άγρια, πρωτόγονα ένστικτα.

Νιώθοντας την ηδονή να κυλάει στις φλέβες της σαν γλυκό κρασί, έπλεξε τα δάχτυλά της στα μαλλιά του και βόγκηξε σιγανά. Δεν μπορούσε να προσδιορίσει τι ακριβώς αισθανόταν. Η απόλαυση και η θλίψη ήταν τόσο στενά συνυφασμένες που μπερδεύονταν.

«Θεέ μου, τι μου κάνεις».

Η βαριά φωνή του Ραφαέλ που έφτασε αλλοιωμένη στ' αυτιά της, της αποκάλυψε για άλλη μια φορά αυτό που είχε αντιληφθεί εδώ και καιρό. Ότι εκείνος σοκαριζόταν κάθε φορά που συνειδητοποιούσε το πόσο εύκολα το σεξ μαζί της τον έβγαζε εκτός ελέγχου.

Αλλά εξίσου εκτός ελέγχου αισθανόταν τώρα πια και η ίδια. Παραδομένη ολοκληρωτικά στο πάθος του Ραφαέλ και ακούγοντας τον μακρινό θόρυβο ενός τρακτέρ που όργωνε πέρα στα χωράφια, συνειδητοποίησε ότι ανεξάρτητα από το αν εκείνος ήταν εγωιστής, αυτάρεσκος ή υπερβολικά πεζός και γήινος, η ίδια ήταν τόσο τρωτή στις επιθυμίες του, που δεν μπορούσε ούτε καν να φανταστεί άλλον άντρα να κατακτά το κορμί της.

Ώρα μετά, όταν επιτέλους καταλάγιασε το πάθος τους και μπόρεσαν επιτέλους να κουνηθούν, κοιτάχτηκαν στα μάτια σαν υπνωτισμένοι.

Το μάτια του Ραφαέλ έλαμπαν από ευχαρίστηση, ενώ της Κριστίνα έδειχναν κάπως θολά και λυπημένα.

Δε μίλησαν. Εκείνη αποτραβήχτηκε ήρεμα από κοντά του και άρχισε να στρώνει τα ρούχα της μέσα στον περιορισμένο χώρο του αυτοκινήτου. Αγνοώντας μάλιστα την προτροπή του Ραφαέλ να κρύψει το σουτιέν της στο ντουλαπάκι, το φόρεσε κανονικά προς μεγάλη του δυσαρέσκεια.

«Και τι θα γίνει αν θελήσουμε να κάνουμε και δεύτερη στάση στη διαδρομή; Θα το ξαναβγάζουμε από την αρχή;» τη ρώτησε ζωηρά, αλλά η Κριστίνα έστρεψε το βλέμμα της αλλού.

«Αυτό αποκλείεται», είπε μόνο και συνέχισε τη δουλειά της.

Έχοντας αποφασίσει ότι θα πήγαινε την επομένη τα ρούχα που φορούσε στο καθαριστήριο και στη συνέχεια θα τα έθαβε βαθιά στην ντουλάπα της ώστε να μην τα βλέπει παρά μόνο όποτε θα ένιωθε τις αναμνήσεις να την πνίγουν, χασμουρήθηκε επιδεικτικά και έγειρε το κεφάλι της πάνω στο παράθυρο.

Ο Ραφαέλ την άφησε να κοιμηθεί με την ησυχία της. Στην πραγματικότητα θα την άφηνε να κάνει ό,τι επιθυμούσε. Τώρα που αυτή η ανόητη διαφωνία τους είχε επιλυθεί με τον καλύτερο δυνατό τρόπο, ήταν αποφασισμένος να κάνει ό,τι περνούσε από το χέρι του για να είναι ευτυχισμένη.

Μόλις ξυπνούσε εκείνη και φορούσε ξανά το δαχτυλίδι της, θα της πρότεινε να αποκτήσουν ένα σπίτι στην εξοχή. Όχι για μόνιμη εγκατάσταση, αλλά για να έχουν τη δυνατότητα να ξεφεύγουν κάπου κάπου, μια και η Κριστίνα δεν ήταν από τις γυναίκες που αγαπούν τη ζωή στη μεγαλούπολη.

Στο μεταξύ το αυτοκίνητο κατάπινε λαίμαργα τα χιλιόμετρα. Είχαν ήδη φτάσει στο Λονδίνο όταν η Κριστίνα άνοιξε επιτέλους τα μάτια της, δείχνοντας έκπληκτη που είχε καταφέρει να κοιμηθεί.

Θα πρέπει να ήταν πολύ κουρασμένη, αλλά μόλο που τώρα αισθανόταν καλύτερα, έκλεισε και πάλι τα μάτια της. Κυρίως επειδή δεν ήθελε να αντιμετωπίσει τον Ραφαέλ. Γιατί, μολονότι δεν είχε μετανιώσει στο ελάχιστο για τον έρωτα που είχε κάνει μαζί του πριν τον χάσει οριστικά, της ήταν δύσκολο να τον ακολουθήσει σε μια άνετη και πολιτισμένη συζήτηση. Από την άλλη, εκείνος έδειχνε να είναι σε πολύ καλή διάθεση, πράγμα που μαρτυρούσε η τζαζ μουσική που απολάμβανε με ένα νοσταλγικό χαμόγελο στο όμορφο πρόσωπό του.

Όποτε ήταν ευχαριστημένος ή χαρούμενος, άκουγε πάντοτε τζαζ μουσική.

«Ξύπνησες;»

Η απαλή, σχεδόν τρυφερή φωνή του την ξάφνιασε λίγο, αλλά προτίμησε να μην το δείξει.

«Πόση ώρα θα κάνουμε να φτάσουμε στο σπίτι μου;» τον ρώτησε μονάχα κι εκείνος αν και παραξενεύτηκε με τον ψυχρό της τόνο, έσπευσε να τον αποδώσει καλόβουλα στο απότομο ξύπνημά της.

«Περίπου μισή με την κυριακάτικη κίνηση που υπάρχει στους δρόμους, αλλά γιατί δε μένεις μαζί μου τη νύχτα», της πρότεινε με θέρμη. «Έτσι θα μπορέσουμε να συνεχίσουμε και την απολαυστική ενασχόληση που ξεκινήσαμε πριν...»

Βλέποντας το γεμάτο υποσχέσεις χαμόγελό του, η Κριστίνα αναρωτήθηκε για μια στιγμή πανικόβλητη μήπως ήταν έτοιμη να κάνει το μεγαλύτερο λάθος της ζωής της. Ώσπου θύμισε στον εαυτό της ότι έκανε το σωστό, εφόσον το πάθος δεν έχει τη δύναμη να αντικαταστήσει την αγάπη, επειδή είναι ένα συναίσθημα εκρηκτικό αλλά δίχως διάρκεια. Τι θα γινόταν άραγε αν ο Ραφαέλ σταματούσε ξαφνικά να την ποθεί; Θα δικαιολογούσε τις εκάστοτε απιστίες του δηλώνοντας ότι δεν της είχε δώσει ποτέ υποσχέσεις για παντοτινή αγάπη και τα παρόμοια; Αν της έμελλε να ζήσει μια τέτοια κόλαση...

«Δε νομίζω ότι είναι καλή ιδέα, Ραφαέλ», του είπε ήρεμα.

«Α, μη μου πεις ότι ξανάρχισες τα ίδια», ξέσπασε εκνευρισμένος εκείνος και κλείνοντας τη μουσική, έστριψε σε ένα μικρό δρομάκι για να αποφύγει την κίνηση. «Νόμιζα ότι το θέμα είχε επιλυθεί».

«Με ποιον τρόπο; Κάνοντας έρωτα στο αυτοκίνητο;»

«Μη γίνεσαι κυνική».

«Απλώς λέω τα πράγματα όπως έχουν».

Για δεύτερη φορά μέσα στην ίδια ημέρα ο Ραφαέλ είχε την αλλόκοτη αίσθηση ότι αν και έτρεχε με χίλια, τελικά δεν κατάφερνε να φτάσει στον προορισμό του. Αυτή τη φορά όμως δεν ήταν διατεθειμένος να ανεχτεί τα παράπονα και τις κατηγορίες της Κριστίνα. Ακόμα και ένας πολιτισμένος άνθρωπος όπως εκείνος, είχε τα όριά του. Τα λογικά επιχειρήματά του της τα είχε ήδη αναλύσει. Αν εκείνη, παρ' όλα αυτά, συνέχιζε να επιμένει στην άποψή της, τότε... Βέβαια, η μητέρα του θα απογοητευόταν τρομερά. Συμπαθούσε πολύ την Κριστίνα, αλλά δεν ήταν εκείνη που θα έπρεπε να ζήσει μαζί της.

Σε μια προσπάθεια να καθησυχάσει τον εαυτό του, του επισήμανε ότι θα ήταν λάθος να δεσμευτεί για πάντα με μια γυναίκα που ήθελε να της εκφράζουν λεκτικά την αγάπη. Σε λίγο καιρό το δίχως άλλο τα τωρινά της παράπονα θα τα διαδέχονταν οι απαιτήσεις, οι γκρίνιες και οι υστερίες. Ξαφνικά στο μυαλό του ήρθε η Έλεν. Μπορεί η Κριστίνα να μην ξόδευε ποτέ τα λεφτά της όπως το ίδιο ασύστολα όπως εκείνη, αλλά ήταν τόσο φλογερή που το ενδεχόμενο της απιστίας...

«Καλώς», είπε κοφτά και ανασηκώνοντας αδιάφορα τους ώμους του, οδήγησε την Μπέντλεϊ μέχρι το αρχοντικό κτίριο όπου βρισκόταν το διαμέρισμά της.

«Καλώς;» επανέλαβε σαν ηχώ εκείνη, ύστερα από παρατεταμένη σιωπή.

«Άκου». Γυρνώντας προς το μέρος της, ο Ραφαέλ την κοίταξε σχεδόν αυστηρά. «Εγώ σου εξήγησα ήδη τη θέση μου. Το να μην την αποδέχεσαι είναι αναφαίρετο δικαίωμά σου. Άλλωστε έχεις δίκιο. Είναι λογικό να προτιμάς να ρισκάρεις ένα σίγουρο μέλλον προκειμένου να βρεις εκείνον που θα είναι πρόθυμος να πραγματοποιήσει τα όνειρά σου». Ο οποίος το πιθανότερο θα είναι κάποιος ασήμαντος χασομέρης που θα διαθέτει περισσευούμενο χρόνο για συναισθηματικές αηδίες, σκέφτηκε πικρόχολα. Μπορεί να είναι και ένας μελλοντικός υπάλληλος του ανθοπωλείου... «Να έχεις μόνο υπόψη σου...» Την κάρφωσε με το βλέμμα του. «... Ότι θα είναι δύσκολο να βρεις τον άντρα των ονείρων σου όντας ερωτευμένη μαζί μου. Γιατί είσαι ακόμα ερωτευμένη. Ή μήπως όχι;»

Καθώς άκουγε τα θλιβερά του λόγια, η Κριστίνα ένιωσε το κορμί της να τρεμουλιάζει κάτω από το βλέμμα του. Δυστυχώς τα υπέροχα γαλάζια μάτια του την κοιτούσαν σχεδόν με περιφρόνηση, σαν να χλεύαζαν όλα εκείνα που η ίδια θεωρούσε σημαντικά.

Ναι, το δίχως άλλο ήταν κάτι παραπάνω από κυνικός.

Μήπως αυτός είναι και ο λόγος που με πολιόρκησε από την αρχή με τόση αυτοπεποίθηση; αναρωτήθηκε ξαφνικά. Είναι δυνατόν να θεωρούσε την επιτυχία του εντελώς εξασφαλισμένη;

Η σκέψη πως ίσως εκείνο που τον ερέθιζε κυρίως ήταν η μεγάλη έλξη που εκείνη ένιωθε, την έκανε να σμίξει τα φρύδια της προβληματισμένη. Είχε διαβάσει κάπου ότι η σεξουαλική επιθυμία προκαλεί συχνά παράξενες αντιδράσεις στους ανθρώπους, αλλά δυστυχώς η παντελής απειρία της σ' αυτά τα θέματα την εμπόδιζε να μαντέψει τα συναισθήματα που ενδεχομένως να έτρεφε ο Ραφαέλ απέναντί της.

«Όχι, δεν είμαι». Κρατώντας ψηλά το κεφάλι της τον κάρφωσε κι εκείνη με το βλέμμα της. «Γιατί να είμαι; Έκανα το λάθος να ερωτευτώ κάποιον που δεν ήταν ικανός να ανταποκριθεί στην αγάπη μου. Άρα, το μόνο που έχω να κάνω είναι να είμαι στο μέλλον πιο προσεκτική. Με λίγα λόγια, θα αναζητήσω έναν άντρα που θα με τοποθετήσει πάνω από όλα. Κάποιον που δε θα θεωρεί ότι ο γάμος είναι μια λογιστική πράξη με κέρδη και ζημίες, έναν σύντροφο που δε θα τρέμει τη συναισθηματική δέσμευση, κάποιον που...»

«Κατάλαβα». Ο Ραφαέλ τη διέκοψε απότομα, κοιτάζοντάς την ανέκφραστα. «Και πού νομίζεις ότι θα μπορέσεις να βρεις αυτόν τον τέλειο άντρα; Εκτός βέβαια από τη σφαίρα της φαντασίας σου;»

Την ειρωνευόταν! Και μόνο αυτό ήταν αρκετό για να την κάνει να θέλει να φύγει το συντομότερο από κοντά του.

«Πραγματικά σε λυπάμαι, Ραφαέλ», είπε σιγανά και απλώνοντας στα τυφλά το χέρι της στο πόμολο της πόρτας, την άνοιξε ανυπομονώντας να πεταχτεί έξω στο πεζοδρόμιο.

«Και όλο αυτό συνέβη επειδή... Μπορείς τουλάχιστον να μου εξηγήσεις το λόγο;» αξίωσε να μάθει εκείνος, νιώθοντας εξοργισμένος που έχανε τη μάχη, ακριβώς τη στιγμή που είχε πιστέψει ότι ήταν ο νικητής.

«Συνέβη επειδή...» Γυρνώντας ελαφρά το κεφάλι της, η Κριστίνα τον κοίταξε πάνω από τον ώμο της. «... Τι νόημα μπορεί να έχει η ζωή χωρίς αγάπη, Ραφαέλ; Χωρίς ευτυχία; Αυτά τα δύο είναι τα μόνα που δεν μπορεί να εξαγοράσει το χρήμα».

ΚΕΦΑΛΑΙΟ 8

Ακόμα και έξι εβδομάδες μετά, αυτή η συζήτηση έκανε τον Ραφαέλ έξω φρενών κάθε φορά που τη θυμόταν.

Ευτυχώς είχε καταφέρει να ξεπεράσει σχετικά σύντομα αυτή τη δυσάρεστη εμπειρία. Τουλάχιστον αυτό ήθελε να πιστεύει. Διότι η αλήθεια ήταν ότι καθώς περιεργαζόταν με ένα αινιγματικό χαμόγελο την όμορφη ξανθιά που καθόταν απέναντί του στο τραπέζι, βασανιζόταν από την περιέργεια να μάθει αν και η Κριστίνα απολάμβανε εξίσου τη ζωή της ή περνούσε τις ελεύθερες ώρες της όπως ήθελε να τη φαντάζεται ο ίδιος, καθισμένη στον άνετο καναπέ της με ένα ζεστό κακάο στο χέρι και μοναδική συντροφιά και παρηγοριά τις αρχές της.

«Γιατί δε μου λες και μένα ποιο είναι το αστείο;»

Εγκαταλείποντας το εξαιρετικά ευχάριστο όνειρο που έβλεπε ξύπνιος, ο Ραφαέλ κοίταξε τη Σίντι. Η Σίντι είχε καλλίγραμμα πόδια, μακριά μαλλιά και κόκκινα σαρκώδη χείλη. Ήταν Αμερικανίδα και υπεύθυνη διαφήμισης σε μια μικρή αλλά ταχέως ανερχόμενη εταιρεία κινητής τηλεφωνίας, που είχε αρχίσει να εξαπλώνεται διεθνώς. Ο Ραφαέλ την είχε γνωρίσει σε κάποια από τις πολλές κοινωνικές εκδηλώσεις όπου είχε παραβρεθεί μετά το χωρισμό του από την Κριστίνα. Μόλο που γενικά αντιπαθούσε τα πάρτι, τα εγκαίνια, τα φιλανθρωπικά δείπνα και τις θεατρικές πρεμιέρες, είχε υποχρεώσει τον εαυτό του να ανταποκριθεί σε ένα σωρό προσκλήσεις, μόνο και μόνο για να είναι σίγουρος ότι η Κριστίνα θα έβλεπε τις φωτογραφίες του στα περιοδικά κατά πάσα πιθανότητα τα βράδια, όταν θα καθόταν μόνη στο σαλόνι της για να χαζέψει στην τηλεόραση κάποια από τις αγαπημένες της σαπουνόπερες.

«Πάντα χαμογελώ όταν είμαι συντροφιά με μια τόσο όμορφη γυναίκα», παρατήρησε με άνεση. «Αλλά απ' ό,τι βλέπω, δεν έφαγες όλο το ψάρι σου. Δε σου άρεσε;»

«Φυσικά, αλλά μια κοπέλα είναι αναγκασμένη να μετράει τις θερμίδες της», είπε η Σίντι με ύφος σοβαρό. «Δε φαντάζεσαι, Ραφαέλ, πόσο ρατσιστικά αντιμετωπίζονται στο χώρο μου οι κοπέλες που έχουν λίγα κιλά παραπάνω. Τις απορρίπτουν από την πρώτη κιόλας συνέντευξη, ακόμα κι αν έχουν όλα τα προσόντα», κατέληξε χαμηλόφωνα.

Ο Ραφαέλ μουρμούρισε κάτι μέσα από τα δόντια του, διαπιστώνοντας ότι είχε αρχίσει να βαριέται, παρ' όλο που η Σίντι ήταν όμορφη και σέξι. «Σχεδιάζω να κάνω ένα πάρτι το επόμενο Σαββατοκύριακο», είπε μόνο και μόνο για να αλλάξει θέμα. «Μου το πρότεινε η γραμματέας μου. Πρόκειται να έρθουν μερικοί σημαντικοί πελάτες από την Ιαπωνία κι εκείνη σκέφτηκε πως θα το θεωρήσουν τιμή τους αν τους δεξιωθώ στο σπίτι μου. Φυσικά θα καλέσω και άλλους σημαντικούς ανθρώπους». Έσκυψε μπροστά και πήρε το κομψό χέρι της στο δικό του. «Θα ήθελες να έρθεις κι εσύ;»

Με τη Σίντι γνωρίζονταν ήδη δεκαπέντε μέρες, αλλά δεν είχαν κάνει ακόμα έρωτα, επειδή το πρόγραμμά του ήταν υπερβολικά φορτωμένο. Άλλωστε αυτή ήταν η δεύτερη φορά που έβγαιναν έξω μαζί.

Τα μάτια της κοπέλας φωτίστηκαν και του χάρισε ένα πλατύ χαμόγελο.

«Πολύ ευχαρίστως!» αναφώνησε ενθουσιασμένη. «Θα πρέπει να αποφασίσω τι θα φορέσω...»

Η σκέψη αυτή την απορρόφησε στη στιγμή, με αποτέλεσμα ο Ραφαέλ να βρει όλο το χρόνο που χρειαζόταν για να επιστρέψει στην εικόνα που είχε παραμερίσει κάπως απότομα πριν λίγο από το μυαλό του.

Εκείνη της Κριστίνα να πίνει μόνη το κακάο της.

Η μητέρα του είχε στενοχωρηθεί τρομερά με την κατάληξη της σχέσης τους. Μάλιστα, εντελώς αυθαίρετα είχε καταλήξει στο συμπέρασμα ότι έφταιγε εκείνος. Μια παρεξήγηση που ο Ραφαέλ δεν προσπάθησε να διαλύσει, γιατί η εξήγηση ότι η Κριστίνα δεν ήταν διατεθειμένη να παντρευτεί κάποιον που δεν την αγαπούσε θα εξόργιζε περισσότερο τη Μαρία, με αποτέλεσμα να αρχίσει να τον αποκαλεί κυνικό, μαζί με ένα σωρό άλλα, καθόλου κολακευτικά επίθετα.

Το δίχως άλλο, η μητέρα του θα το εκτιμούσε αν καλούσε και την Κριστίνα στο πάρτι. Θα την έπαιρνε κατά κάποιον τρόπο υπό την προστασία του και μετά θα συνέχιζε τη ζωή του. Δε θα ήταν γενναιόδωρο να τη βοηθήσει να μην πέσει σε κατάθλιψη; Δεν είχε μάθει καθόλου νέα της μετά από κείνη τη μέρα που εκείνη πετάχτηκε έξω από το αυτοκίνητο θυμωμένη και κατακόκκινη. Και αν ρωτούσε τη μητέρα του για κείνη, θα ήταν μεγάλη ανοησία. Όπως θα ήταν ανοησία να τηλεφωνήσει και στους γονείς της στην Ιταλία.

«Θα έχεις κι εσύ κάποια ανάμειξη στην προετοιμασία;»

Χαμένος ακόμα στις σκέψεις του, ο Ραφαέλ δυσκολεύτηκε να καταλάβει τι ακριβώς του έλεγε η Σίντι. Μέχρι που την είδε να χαμογελάει με νόημα και τότε τη διαβεβαίωσε ότι φυσικά και όχι.

Εκείνη το βρήκε απόλυτα φυσικό.

«Και γιατί να το κάνεις;» σχολίασε καρφώνοντας πάνω του προκλητικά τα όμορφα πράσινα μάτια της. «Ένας τόσο σημαντικός άντρας είναι λογικό να αφήνει τις αγγαρείες για τους άλλους».

«Σωστά», συμφώνησε άτονα ο Ραφαέλ. Από πείρα γνώριζε πότε μια γυναίκα τόνωνε τον εγωισμό του για συγκεκριμένο λόγο και ήξερε ότι τα λόγια της Σίντι δεν είχαν την παραμικρή ειλικρίνεια. «Λυπάμαι αλλά θα πρέπει να σε αφήσω νωρίς», συνέχισε, ρίχνοντας μια ματιά στο λογαριασμό. «Αύριο ξημερώματα πετάω για την Αυστραλία και χρειάζομαι ύπνο».

Ο ισχυρισμός του δεν ήταν ψέμα, αλλά ούτε και αλήθεια. Γιατί στην πραγματικότητα ο λόγος που ανυπομονούσε να δώσει τέλος σ' αυτή τη βραδιά ήταν η πεσμένη ερωτική του διάθεση. Ούτε και το φιλί στα χείλη που αντάλλαξαν λίγο αργότερα για καληνύχτα έξω από το διαμέρισμα της Σίντι βοήθησε τη λίμπιντό του. Πράγμα που του συνέβαινε για πρώτη φορά.

«Θα σου τηλεφωνήσω», της υποσχέθηκε αόριστα αμέσως μετά, όντας σίγουρος ότι εκείνη προσδοκούσε πολλά περισσότερα από όσα ήταν ο ίδιος έτοιμος να δώσει. «Θα αναθέσω στη γραμματέα μου την προετοιμασία του πάρτι και θα σε ενημερώσω σχετικά». Προτού φύγει, τη φίλησε ξανά, αλλά αυτή τη φορά με λίγο περισσότερο πάθος. Όταν όμως εκείνη τον τράβηξε πιο κοντά ώστε να μπορέσει να ακουμπήσει πάνω του τα στητά από τη σιλικόνη στήθη της, απομακρύνθηκε τόσο απότομα που ντράπηκε.

«Αγόρασε κάτι να φορέσεις από τα Χάροντ'ς», της πρότεινε, νιώθοντας την ανάγκη να της προσφέρει μια μικρή αποζημίωση. «Ζήτησέ τους να το χρεώσουν στο λογαριασμό μου. Θα ζητήσω από τη γραμματέα μου να το διευθετήσει», κατέληξε και ανακουφίστηκε βλέποντας το σκοτεινιασμένο της πρόσωπο να φωτίζεται επιτέλους από ένα χαμόγελο.

«Είσαι σίγουρος;» τον ρώτησε καθαρά για τους τύπους και ο Ραφαέλ δεν μπόρεσε να μη γελάσει.

«Φυσικά. Βέβαια, όπως και να είσαι ντυμένη, τους θαμπώνεις όλους, αλλά... ομολογώ ότι θα είναι πολύ ερεθιστικό να ψάξω και να βρω τι κρύβεται κάτω από το σέξι ρούχο σου, όταν θα φύγει και ο τελευταίος καλεσμένος...»

Εκείνη πίεσε ελαφρά με το δάχτυλό της το μπούστο της και του χάρισε ένα γεμάτο υποσχέσεις και υπονοούμενα χαμόγελο, που θα έλιωνε κάθε άλλον άντρα στη θέση του. Μόνο που ο ίδιος το μόνο που σκεφτόταν ήταν το τηλεφώνημα που θα έκανε αμέσως μόλις γύριζε στο διαμέρισμά του.

Και έτσι έγινε. Μόλις βρέθηκε επιτέλους στο σπίτι του, έβαλε ένα ποτήρι μεταλλικό νερό και πήρε το νούμερο της Κριστίνα καθισμένος αναπαυτικά στον καναπέ του σαλονιού.

Αποκλείεται να λείπει κι ας είναι Σάββατο βράδυ, συλλογιζόταν την ίδια στιγμή, καθώς την περίμενε να σηκώσει το ακουστικό.

Πράγμα που δεν άργησε να συμβεί.

«Μήπως σε ξύπνησα;» τη ρώτησε κάπως απότομα, μόλις άκουσε την ελαφρά νυσταγμένη φωνή της.

«Ραφαέλ;»

«Λοιπόν; Κοιμόσουν;»

Το αγενές ύφος του ήταν σαν παγωμένο ντους για την Κριστίνα. Εδώ και έξι εβδομάδες προσπαθούσε να τον ξεχάσει, πράγμα που πίστευε ότι είχε πετύχει μετά την εγγραφή της σε μια κηπουρική σχολή όπου θα έπαιρνε βραδινά μαθήματα αρχιτεκτονικής κήπων. Μόλο που οι αναμνήσεις τής κατέτρωγαν τα σωθικά σαν τρωκτικό, η ίδια προσπαθούσε να δείχνει γενναία και να συνεχίζει τη δουλειά της στο ανθοπωλείο το ίδιο χαρωπή και πρόσχαρη, λες και η ακύρωση του γάμου να μην την είχε πληγώσει στο ελάχιστο.

Το έκανε κυρίως για χάρη της Άνθια. Το μόνο που είχε αρνηθεί κατηγορηματικά στη φίλη της, ήταν η πρόταση να αρχίσει να ζει ως τολμηρή και απελευθερωμένη γυναίκα.

Πράγμα για το οποίο μετάνιωνε τώρα, ακούγοντας τον Ραφαέλ να της μιλάει τόσο αυταρχικά.

«Τι θέλεις;» τον ρώτησε αυστηρά.

Ο αναστεναγμός που ακούστηκε από την άλλη πλευρά της γραμμής, της πρόσφερε μια κάπως ανόητη ευχαρίστηση. Παρ' όλα αυτά, παρέμεινε απόμακρη και σιωπηλή.

«Δεν υπάρχει λόγος να είσαι τόσο απότομη», της είπε μειλίχια ο Ραφαέλ. «Θέλω να πω... δε φαντάζομαι να σε διέκοψα από κάτι πολύ σημαντικό, έτσι δεν είναι;»

Η Κριστίνα θα ήθελε πολύ να τον πληροφορήσει ότι τ έκανε. Φέρνοντας όμως στο μυαλό της την εκπομπή κηπου ρικής που είχε παρακολουθήσει στην τηλεόραση, το πρόγ ρο γεύμα που είχε φάει στα όρθια και το ατέλειωτο τηλεφ νημα της μητέρας της, η οποία της μιλούσε κάθε δύο ημ προκειμένου να της βελτιώσει τη διάθεση, αναγνώρισε β ότι δε θα έπρεπε να ισχυριστεί κάτι τέτοιο.

«Όχι, δε με διέκοψες», παραδέχτηκε συγκρατημένα γιατί μου τηλεφωνείς; Τι ακριβώς θέλεις;»

Αυτό που ήθελε ο Ραφαέλ να της πει ήταν ότι θα μτ

να απολαμβάνει τη συντροφιά μιας πανέμορφης ξανθιάς που δε θα τολμούσε ποτέ να του μιλήσει μ' αυτό το έντονο ύφος, αλλά ευτυχώς θυμήθηκε έγκαιρα πόσο θυμωμένη και πικρόχολη ήταν μαζί του. Έτσι, άλλαξε γνώμη.

«Ήθελα να μάθω τι κάνεις», της απάντησε καρφώνοντας μηχανικά τα μάτια στις μαύρες κάλτσες του, μια και είχε ήδη βγάλει τα παπούτσια του και τα είχε αφήσει στο ντουλάπι δίπλα στην εξώπορτα.

«Είμαι μια χαρά, ευχαριστώ».

«Χαίρομαι που το ακούω. Ανησυχούσα ξέρεις για σένα».

Μόλο που είχε βάλει τα δυνατά του να μιλήσει με τόνο πειστικό, η Κριστίνα δε φάνηκε να τον πήρε στα σοβαρά.

«Δε μου είπες ακόμα το λόγο για τον οποίο μου τηλεφωνείς μέσα στη νύχτα», σχολίασε, αγνοώντας τους ισχυρισμούς του.

«Οι περισσότεροι άνθρωποι στο Λονδίνο είναι ξύπνιοι τέτοια ώρα», υποστήριξε ο Ραφαέλ. «Όσο για το τηλεφώνημα, αφορά μία πρόσκληση που θέλω να σου κάνω».

Μήπως θα της ζητούσε να βγουν ραντεβού; Και μόνο η σκέψη έκανε την καρδιά της να χτυπήσει άτακτα. Μέχρι που θυμήθηκε ότι ήταν ένας άντρας με πέτρινη καρδιά που προσποιούνταν με μεγάλη πειστικότητα ότι ήταν πραγματικός άνθρωπος.

«Δε νομίζω », είπε ξερά, προσπαθώντας την ίδια στιγμή να ξεχάσει τα γέλια που μοιράζονταν, με πόση τρυφερότητα αντιμετώπιζε εκείνος τη φλυαρία της ή πώς το πάθος του την έκανε να αισθάνεται επιθυμητή και συμφιλιωμένη με την εικόνα της.

«Σε ένα πάρτι», έσπευσε να της διευκρινίσει ο Ραφαέλ. «Θα γίνει στο σπίτι μου το επόμενο Σαββατοκύριακο».

«Και σκέφτηκες να με καλέσεις σε πάρτι;» Δε νοιάζεται στ' αλήθεια για το αν νιώθω δυστυχισμένη κι αν μου προκάλεσε πόνο, συλλογίστηκε η Κριστίνα. Ούτε και ενδιαφερόταν να μάθει τα νέα της. Απλώς προσπαθούσε να παραστήσει τον πολιτισμένο και τον άνετο. Δεν αποκλειόταν η πρόσκληση να ήταν ιδέα της μητέρας του.

«Ναι; Είσαι ακόμα εκεί ή αποκοιμήθηκες;»

Η αδιόρατη ειρωνεία στον τόνο της φωνής του την εκνεύρισε.

«Όχι δεν αποκοιμήθηκα! Τα βλέπεις;» μουρμούρισε αμέσως μετά αλλάζοντας τόνο. «Δε μιλάμε ούτε δυο λεπτά και άρχισα ήδη να φωνάζω!»

«Δε θεωρώ ότι είναι κακό να αντιδρά κανείς όπως νιώθει».

«Δεν έλεγες τα ίδια και πριν», σχολίασε με κάποια πικρία η Κριστίνα.

Σ' αυτό ο Ραφαέλ δεν μπόρεσε να διαφωνήσει μαζί της. Ωστόσο δε θέλησε να επεκταθεί.

«Λοιπόν; Να σε υπολογίζω ανάμεσα στους καλεσμένους ή όχι;» τη ρώτησε, αλλάζοντας θέμα.

«Μπορείς να μου εξηγήσεις για ποιο λόγο με προσκαλείς; Μήπως με λυπάσαι; Ή σε ανάγκασε η Μαρία να το κάνεις;»

Οι καταιγιστικές της ερωτήσεις τον έφεραν σε δύσκολη θέση.

«Απλώς... η ζωή προχωράει μπροστά· αυτό είναι όλο», αποκρίθηκε αόριστα ο Ραφαέλ, αλλά όσο κι αν έστυβε το μυαλό του προσπαθώντας να δει νοερά το πρόσωπο της Σίντι, εκείνο που εμφανιζόταν ολοκάθαρα μπροστά του ήταν το φωτεινό προσωπάκι της Κριστίνα.

Ένιωσε οίκτο για κείνη, δεν υπήρχε καμία αμφιβολία, σκέφτηκε η Κριστίνα. Η άρνησή του να απαντήσει συγκεκριμένα στην κάθε της ερώτηση, ήταν η καλύτερη απόδειξη για το πώς ένιωθε για κείνη. Γι' αυτό κι εκείνη, αν και της ήταν πολύ δύσκολο να τον αντικρίσει όσο ένιωθε ακόμα τόσο ευάλωτη, δε βρήκε το κουράγιο να αρνηθεί την πρόσκλησή του, φοβούμενη μήπως και ο οίκτος του έπαιρνε μεγαλύτερες διαστάσεις.

«Ελπίζω να μη φοβάσαι να με δεις».

Το αναπάντεχο σχόλιο του Ραφαέλ ήταν η καλύτερη απάντηση για τις μύχιες σκέψεις της και την ανάγκασε να υιοθετήσει την αταραξία και την υπεροψία κάποιων σταρ του σινεμά για να παίξει με επιτυχία τη χαλαρή και την άνετη.

«Για ποιο λόγο να φοβάμαι; Είπες ότι θα γίνει το επόμενο Σαββατοκύριακο, σωστά; Έχεις φροντίσει τις λεπτομέρειες;»

«Εγώ; Όχι, βέβαια! Τα έχει αναλάβει όλα η Πατρίτσια».

Έπρεπε να το περιμένει. Γιατί αυτή η συμπεριφορά ήταν τυπική εκ μέρους του Ραφαέλ Ρότσι. Ενός άντρα συνηθισμένου να τρέχουν όλοι ξοπίσω του προκειμένου να τον εξυπηρετήσουν και να ικανοποιήσουν τις επιθυμίες του.

«Αν κρίνω από τη σιωπή σου, θα πρέπει μάλλον να διαφωνείς με την απόφασή μου να φορτώσω τη διοργάνωση του πάρτι στη γραμματέα μου. Κατάλαβα σωστά;»

Η παρατήρηση του Ραφαέλ ξάφνιασε κάπως την Κριστίνα, αλλά προτίμησε να μην το δείξει.

«Θα έλεγα μόνο ότι έπρεπε να την περιμένω», παρατήρησε ήρεμα. «Όσο για το πάρτι σου, θα ρίξω μια ματιά στο ημερολόγιό μου και αν δεν έχω κανονίσει ήδη κάτι άλλο...»

Άφησε τη φράση της μετέωρη. Αλλά ο Ραφαέλ δεν έδειξε να ανησυχεί.

«Ωραία. Θα τα πούμε τότε. Α, και... Κριστίνα;...»

«Ορίστε;»

«Μπορείς να φέρεις και συνοδό αν θέλεις».

Αυτά τα τελευταία λόγια του την ώθησαν να πάρει μια μεγάλη απόφαση. Γιατί όσο κι αν ήταν σίγουρη ότι ήταν σωστή η επιθυμία της να προσπαθήσει να βρει τον άντρα που θα την αγαπούσε αληθινά, τι νόημα θα είχε η ζωή της αν την περνούσε με τη σκέψη του Ραφαέλ να τη βασανίζει αδιάκοπα;

Τις προηγούμενες βδομάδες είχε απορρίψει όλες τις προτάσεις της Άνθια να βγουν έξω, ενώ διαβεβαίωνε τη μητέρα και τις αδερφές της πως περνούσε θαυμάσια, στην πραγματικότητα όμως απέφευγε να βγαίνει από το σπίτι της γιατί ένιωθε ότι θα κατέρρεε. Σε αντίθεση με τον Ραφαέλ, ο οποίος, κρίνοντας από τις φωτογραφίες του στα περιοδικά, θα έπρεπε να διασκεδάζει με την ψυχή του. Από το σημείο αυτό όμως μέχρι να κάνει όλο τον κόσμο να την οικτίρει, υπήρχε μεγάλη απόσταση.

* * *

Η Άνθια ενθουσιάστηκε όταν έμαθε για την απόφασή της να πάει στο πάρτι.

«Θα σου κάνει πολύ καλό να βγεις επιτέλους από το σπίτι»,

σχολίασε με ζέση. «Έτσι θα του αποδείξεις πως προχώρησες στη ζωή σου. Αλλά γιατί δε ζητάς από τον Μάρτιν να σε συνοδεύσει;»

Όσο κι αν η ιδέα άρεσε στην Κριστίνα, της ήταν αδύνατον να κάνει μια τέτοια απάτη. Τον Μάρτιν τον συμπαθούσε αρκετά ως φίλο και συνεργάτη, αλλά το να τον χρησιμο-ποιήσει σαν σύντροφο μόνο και μόνο για να αποδείξει κάτι, το έβρισκε εντελώς ανήθικο.

Τουλάχιστον όμως δέχτηκε να πάνε με την Άνθια για να αγοράσει τα κατάλληλα ρούχα για την περιβόητη βραδιά. Μόλο που το φόρεμα που την έπεισε τελικά να αγοράσει η φίλη της την έκανε να αισθάνεται σαν χορεύτρια νυχτερινού κέντρου, χάρηκε που εμπλούτισε την γκαρνταρόμπα της με ένα μίνι πολύ πιο κοντό από κείνα που φορούσε συνήθως, ένα ζευγάρι ψηλοτάκουνες γόβες και κάμποσα καλόγουστα αξεσουάρ.

«Το Σάββατο θα έρθω από τις έξι για να σε μακιγιάρω!», την προειδοποίησε η Άνθια. «Θα είσαι η ομορφότερη του πάρτι!»

Η Κριστίνα δεν το πίστευε αυτό. Το φόρεμα είχε βαθύ κόκκινο χρώμα, με προκλητικά σχισίματα στα πλάγια και τόνιζε ελαφρά το στήθος της που σύμφωνα με τη φίλη της αποτελούσε το μεγαλύτερο προσόν της. Όσο για τις ψηλο-τάκουνε γόβες, αν δεν ήθελε να σκοντάψει και να σωριαστεί μπροστά στον κόσμο, έπρεπε να βαδίζει αργά και με χάρη, λικνίζοντας ελαφρά τους γοφούς της.

Παρ' ότι η γραμματέας του Ραφαέλ της πρότεινε ευγενικά να στείλει μια λιμουζίνα για να την παραλάβει όταν την κάλεσε για να τη ρωτήσει την ακριβή ώρα προσέλευσης στο πάρτι, η Κριστίνα αρνήθηκε, προτιμώντας να πάει μόνη με ένα ταξί.

Στο τέλος έφτασε αργοπορημένη εξαιτίας της επιμονής της Άνθια να την κάνει κούκλα. Όχι ότι η ίδια συμμεριζόταν την άποψή της, αλλά παρ' όλα αυτά όφειλε να παραδεχτεί ότι έδειχνε αρκετά καλή. Το φόρεμα που μέσα στο δοκιμα-στήριο φαινόταν γελοίο με τα αθλητικά της παπούτσια, τώρα έστρωνε πάνω της τέλεια, τονίζοντας όλα τα σωστά σημεία. Αναδείκνυε το μπούστο, λέπταινε τη μέση της και έκανε τα πόδια της να δείχνουν πιο μακριά χάρη στις μαύρες ψηλοτάκουνες γόβες.

Με την Άνθια είχαν αγοράσει και μερικά μοντέρνα κοσμήματα που τώρα τα φορούσε και την κολάκευαν αρκετά, ενώ η Άνθια είχε κάνει θαύματα με τα μαλλιά και τα μάτια της που φάνταζαν τεράστια και όλο μυστήριο. Εξίσου καλά τα είχε καταφέρει και με το μακιγιάζ της, μόλο που η Κριστίνα είχε βάλει τα δυνατά της για να την πείσει να της βάψει διακριτικά τα χείλη και να τονίσει με ελάχιστη πούδρα τα ζυγωματικά που δεν είχε προσέξει ποτέ ότι διέθετε.

Νιώθοντας τα νεύρα της τεντωμένα, στάθηκε μπροστά στην πόρτα του Ραφαέλ και ετοιμάστηκε να πατήσει το κουδούνι. Σύμφωνα με τις πληροφορίες που της είχε δώσει η Πατρίτσια, το πάρτι δινόταν προς τιμήν κάποιων πελατών από την Ιαπωνία, με τους οποίους ο όμιλος είχε μόλις κλείσει μια επικερδή συμφωνία

Νιώθοντας την καρδιά της να χτυπάει άγρια, σήκωσε το χέρι της που έτρεμε, όταν ξαφνικά η πόρτα άνοιξε διάπλατα και παρουσιάστηκε εκείνος. Ο Ραφαέλ. Ψηλός, γοητευτικός σαν αρχαίος Έλληνας θεός και έτοιμος να τη συγκρατήσει όταν εκείνη σκόνταψε άχαρα πάνω του.

Η Κριστίνα οπισθοχώρησε και έγινε κατακόκκινη.

«Τι τρέχει;» τη ρώτησε κατάπληκτος ο Ραφαέλ.

Στην πραγματικότητα, δεν είχε ιδέα ποιος ήταν ο λόγος που τον είχε οδηγήσει μέχρι την πόρτα. Με το πάρτι σε πλήρη εξέλιξη και τη Σίντι να παριστάνει την οικοδέσποινα —πράγμα που τον ενοχλούσε τρομερά— ο ίδιος το μόνο που είχε στο μυαλό του ήταν η Κριστίνα.

Εκείνη ήταν ανέκαθεν εξαιρετικά τυπική στα ραντεβού της. Τόσο που βλέποντας την ώρα να περνάει χωρίς εκείνη να εμφανίζεται, άρχισε να ρίχνει συνεχώς νευρικές ματιές στο ρολόι του.

Το τελευταίο που φανταζόταν ήταν ότι θα την έβρισκε γερμένη πάνω στην πόρτα, τη στιγμή που την άνοιξε.

Και μάλιστα ντυμένη με έναν τρόπο που...

Ήταν απίστευτα σέξι και φάνταζε τόσο επιθυμητή όπως δεν την είχε δει άλλη φορά. Του έδωσε την εντύπωση γυναίκας έτοιμης για όλα. Ξαφνικά την είδε με τη φαντασία του — την οποία είχε σε αχρηστία κατά το μεγαλύτερο μέρος της ζωής του — να τριγυρνάει από το ένα μπαρ στο άλλο και να φλερτάρει με ύποπτους άντρες, αντιμετωπίζοντας το χωρισμό τους με τον κλασικό τρόπο. Και τότε έπαθε μια μικρή παράκρουση.

«Είσαι απαράδεκτα προκλητική!» της δήλωσε επιθετικά, συνειδητοποιώντας γεμάτος έκπληξη ότι προσπαθούσε να την κρύψει με το σώμα του από τους υπόλοιπους καλεσμένους.

Πράγμα βέβαια που ήταν αδύνατον. Γιατί στη σάλα υπήρχαν σαράντα άτομα που έπιναν σαμπάνια και διασκέδαζαν χάρη στο οργανωτικό ταλέντο της Πατρίτσια. Οι σερβιτόροι, άψογοι στο ρόλο τους και ιδιαίτερα εξυπηρετικοί, πηγαινοέρχονταν κουβαλώντας δίσκους γεμάτους με ορντέβρ και ποτά, ενώ ο οικοδεσπότης στεκόταν μπροστά στην πόρτα και...

Στο μεταξύ, η Κριστίνα ήθελε να ανοίξει η γη και να την καταπιεί. Είχε φύγει από το σπίτι της γεμάτη σιγουριά και αυτοπεποίθηση, αλλά τώρα ανυπομονούσε να πετάξει από πάνω της το φόρεμα που φορούσε και να κρύψει τα στήθη της πίσω από το μικρό της τσαντάκι. Το γεγονός ότι ο Ραφαέλ ντρεπόταν για λογαριασμό της, θεωρώντας το ντύσιμό της εντελώς ακατάλληλο για το πάρτι του, την έκανε να νιώθει απαίσια.

«Αν αυτό πιστεύεις... ίσως θα ήταν καλύτερα να φύγω», μουρμούρισε επιχειρώντας να κοιτάξει πάνω από τον ώμο του τους υπόλοιπους καλεσμένους και τα ρούχα που φορούσαν.

«Όχι, βέβαια! Άλλωστε μόλις τώρα ήρθες», διαμαρτυρήθηκε εκείνος. «Απλώς με ξάφνιασε λίγο το φόρεμά σου».

«Το αγόρασα μαζί με την Άνθια».

«Μάλιστα, κατάλαβα», σχολίασε λακωνικά ο Ραφαέλ και προσπάθησε να μαντέψει με ποιον άλλον τρόπο είχε φροντίσει να της συμπαρασταθεί η Άνθια από τότε που χώρισαν.

Να την είχε, άραγε, πάει και σε μερικά ρέιβ πάρτι, όπου σίγουρα, ντυμένη έτσι, ούτε ένας άντρας δε θα είχε υπάρξει που να μη χάσει το μυαλό του μαζί της.

«Τότε... μήπως να μπαίναμε μέσα;»

«Φυσικά!». Ο Ραφαέλ παραμέρισε αναγκαστικά και την αφήσει να περάσει, για να δει σύντομα αυτό που φοβόταν να γίνεται πραγματικότητα. Μόλις εμφανίστηκε η Κριστίνα στο άνοιγμα της πόρτας με το κόκκινο μίνι, εφαρμοστό φόρεμα με το βαθύ ντεκολτέ, όλοι οι άντρες έστρεψαν το βλέμμα πάνω της φανερά θαμπωμένοι.

Το ίδιο έκανε και η Σίντι, αλλά για εντελώς διαφορετικούς λόγους. Εκείνη κατευθύνθηκε αποφασιστικά προς το μέρος τους, ελαφρά συνοφρυωμένη.

Είχε ντυθεί με σκοπό να δείχνει σε όλους ότι ναι μεν ήταν σέξι και ξανθιά, αλλά ήταν και σοβαρή. Το αποτέλεσμα ήταν με το γκρίζο ταγιέρ, το λευκό εφαρμοστό πουκάμισο με τα σκόπιμα ανοιχτά στο στήθος κουμπιά και τις γκρίζες γόβες, να μοιάζει με αεροσυνοδό. Δίπλα στην Κριστίνα ήταν εντελώς ασήμαντη και δε μετρούσε καθόλου. Παρ' όλα αυτά, ο Ραφαέλ την αγκάλιασε από τη μέση, χαρίζοντάς της το πιο γοητευτικό του χαμόγελο.

Η Σίντι όμως είχε μάτια μονάχα για την Κριστίνα.

«Καλώς ήρθες στη μικρή γιορτή μας», της είπε εγκάρδια, σφίγγοντας ελαφρά το μπράτσο του Ραφαέλ. Η γεμάτη οικειότητα κίνησή της επιβεβαίωσε αυτόματα στην Κριστίνα την υποψία ότι εκείνος είχε προχωρήσει πραγματικά στη ζωή του, στο πλευρό μιας όμορφης ξανθιάς που δεν ήταν ντυμένη σαν κλόουν. Μόλο που αυτή η σκέψη ήταν σαν μαχαιριά στην καρδιά της, χαμογέλασε πλατιά στην άγνωστη. Άλλωστε δεν υπήρχε κανένας νόμος που να απαγορεύει στον Ραφαέλ να γίνει ευτυχισμένος!

Το αποτέλεσμα ήταν να πιει απανωτά δυο ποτήρια σαμπάνια προκειμένου να πάρει δύναμη για την υπόλοιπη βραδιά. Στο μεταξύ η Σίντι, αφού απομάκρυνε διακριτικά τον Ραφαέλ δίνοντάς του την υπόσχεση ότι θα αναλάμβανε η ίδια τη μικρή Κριστίνα, άρχισε να τη συστήνει σε κάποιους ενδιαφέροντες προσκεκλημένους.

Μετά το τρίτο ποτήρι σαμπάνια και με άδειο στομάχι, η Κριστίνα άρχισε να βλέπει το πάρτι με άλλα μάτια. Γιατί μπορεί ο Ραφαέλ να τη θεωρούσε φτηνή και προκλητική, αλλά όλοι οι νέοι άντρες έδειχναν ενθουσιασμένοι μαζί της, ενώ το ίδιο ίσχυε και για πολλούς από τους πιο ώριμους.

Έτσι, ο χρόνος κύλησε χωρίς να τον καταλάβει. Ώσπου διαπίστωσε με ανακούφιση ότι ήταν ήδη μεσάνυχτα, οπότε μπορούσε να φύγει. Όλες αυτές τις ώρες είχε κρατήσει αποστάσεις από τον Ραφαέλ, ενώ από την άλλη είχε κρατήσει αρκετούς αριθμούς τηλεφώνων από ανθρώπους που ενδιαφέρονταν να της αναθέσουν την αρχιτεκτονική του κήπου τους.

Ιδιαίτερα ένας απ' αυτούς ήταν ιδιαίτερα πιεστικός. Και όταν η Κριστίνα τον ρώτησε ευγενικά αν κατοικούσε σε διαμέρισμα όπως ανέφερε κάποιος άλλος, εκείνος το παραδέχτηκε, δηλώνοντας ότι ακόμα και τα δικά του φυτά χρειάζονταν την αγάπη και τη φροντίδα της.

«Είσαι μεθυσμένος, Γκούντμαν. Ώρα να φύγεις. Σου κάλεσα ταξί και σε περιμένει».

Η Κριστίνα που έβρισκε το φλερτ του πολύ διασκεδαστικό και βρισκόταν σε δίλημμα για το αν θα έπρεπε να υποκύψει τελικά και να πάει να ρίξει μια ματιά στα φυτά του, ξαφνιάστηκε ακούγοντας τη φωνή του Ραφαέλ.

Ακόμα περισσότερο όμως ξαφνιάστηκε όταν στράφηκε προς τη σάλα και διαπίστωσε ότι είχε σχεδόν αδειάσει.

Πότε και πώς έγινε αυτό; αναρωτήθηκε πανικόβλητη καθώς έψαχνε να βρει την τσάντα της.

«Φεύγω κι εγώ», ανακοίνωσε βιαστικά στον Ραφαέλ που την παρακολουθούσε αγέλαστος, έχοντας τα χέρια δεμένα πίσω στην πλάτη του. «Δεν κατάλαβα για πότε εξαφανίστηκαν όλοι», παραδέχτηκε μ' ένα νευρικό γελάκι καθώς κατευθυνόταν προς την εξώπορτα.

«Πράγματι, ήσουν υπερβολικά απορροφημένη από τη γοητεία του Τζέιμς Γκούντμαν», συμφώνησε ο Ραφαέλ, σκεφτόμένος ότι είχε περάσει απαίσια. Από τη μια οι βαρετοί καλεσμένοι και από την άλλη η Σίντι που προσπαθούσε να τον διεκδικήσει, παριστάνοντας την άξια οικοδέσποινα. Και σαν να μην έφταναν όλα αυτά, ήταν και η Κριστίνα, η οποία αντί να καθίσει διακριτικά και ήσυχα σε μια γωνιά υποχρεώνοντάς τον έτσι να ασχοληθεί μαζί της, έκανε τους πάντες να τον ρωτούν ξετρελαμένοι ποια ήταν, κλέβοντας την παράσταση, με αποτέλεσμα τα νεύρα του να γίνουν κουρέλια.

«Πού είναι... η Σίντι;» Πριν βγει από το διαμέρισμα, η Κριστίνα στράφηκε και τον κοίταξε ερωτηματικά. «Φαίνεται μια χαρά κοπέλα».

Ο Ραφαέλ δε βιάστηκε να της απαντήσει, αρνούμενος να της ομολογήσει ότι την είχε ξεφορτωθεί πριν από είκοσι λεπτά, αποκλείοντάς της κάθε ελπίδα για το μέλλον της γνωριμίας τους. Κι αυτό επειδή δεν ήταν η Σίντι και η καταδικασμένη εκ των προτέρων σχέση τους που τον απασχολούσε.

«Θα μπορούσα να σε προειδοποιήσω ότι αν είναι αυτός ο τρόπος που διάλεξες για να ξεπεράσεις το χωρισμό μας, κολυμπάς σε επικίνδυνα νερά...» Ανασήκωσε τάχα αδιάφορα τους ώμους του. «Ωστόσο δεν το κάνω, διότι το θεωρώ δικαίωμά σου να συμπεριφέρεσαι δημόσια όπως σου αρέσει».

«Δηλαδή πώς συμπεριφέρομαι κατά τη γνώμη σου;» Νιώθοντας το αίμα να της ανεβαίνει στο κεφάλι με το θράσος του να έχει από τη μια κολλημένη πάνω του όλο το βράδυ μια δίμετρη ξανθιά και από την άλλη να τολμάει να κρίνει την ίδια, η Κριστίνα έβαλε τα χέρια της στη μέση και τον αγριοκοίταξε. «Είμαι ελεύθερη, νέα και μόνη», ανακοίνωσε θυμωμένη. «Είναι φυσικό να θέλω να περνάω καλά, να φοράω κοντές φούστες και...»

«Και γενικώς ρούχα που να αποκαλύπτουν όλες τις καμπύλες σου, μια και ψάχνεις για σύντροφο», έσπευσε να συμπληρώσει ο Ραφαέλ.

Ακούγοντάς τον, η Κριστίνα έφερε στο μυαλό της τις νύχτες με το κακάο και τα βιβλία κηπουρικής, αλλά προτίμησε να σωπάσει. Αυτό που την έκανε να αγανακτεί ήταν η αναίδειά του να την κρίνει τη στιγμή που ο ίδιος την είχε ήδη αντικαταστήσει!

«Δε χρειάζεται να ψάχνω!» είπε με μια σιγουριά που δεν είχε αισθανθεί ποτέ στη ζωή της. «Έτσι κι αλλιώς υπάρχουν κάμποσοι άντρες που με βρίσκουν όμορφη. Για την ακρίβεια...» Σταμάτησε και βγάζοντας από την τσάντα της ένα σωρό χαρτάκια, τα κούνησε μπροστά του, όντας σίγουρη ότι εκείνος δε θα ήταν σε θέση να γνωρίζει πως τα περισσότερα αφορούσαν γυναίκες που ενδιαφέρονταν για τον κήπο τους. «Τα βλέπεις όλα αυτά; Είναι τηλέφωνα», τον πληροφόρησε προκλητικά. «Ανάμεσά τους είναι και του Τζέιμς. Και ναι, όπως πολύ σωστά μάντεψες, δεν έχω σκοπό να περιμένω να μου τηλεφωνήσουν πρώτοι!»

ΚΕΦΑΛΑΙΟ 9

Η επόμενη εβδομάδα δεν κύλησε καθόλου καλά για τον Ραφαέλ. Μπροστά στα μάτια του ήταν συνέχεια η Κριστίνα με το σέξι φόρεμά της και τις τολμηρές ανακοινώσεις της.

Εκείνος την είχε καλέσει στο πάρτι του επειδή ήταν τζέντλεμαν και ήθελε να διαπιστώσει αν ήταν καλά. Αλλά αυτό που ανακάλυψε τελικά ήταν πως εκείνη ήταν κάτι παραπάνω από καλά! Μάλιστα είχε ξεφύγει εντελώς, χάνοντας κάθε μέτρο.

Και κοντά σε όλα αυτά, είχε κάνει και δυο άβολες συζητήσεις με τη Σίντι, η οποία μετά από τρία ραντεβού όλα κι όλα του δήλωσε ότι αισθανόταν χρησιμοποιημένη. Παρά τις κατηγορίες και τα παράπονά της, αναγκάστηκε να της πει ότι δεν ταίριαζαν καθόλου, με αποτέλεσμα εκείνη να βάλει στην αρχή τα κλάματα και στη συνέχεια να εξαπολύσει εναντίον του μια άγρια προσωπική επίθεση που τον σάστισε για τα καλά.

Αλλά δεν ήταν η Σίντι το πρόβλημά του. Εκείνη μπορούσε να την αντιμετωπίσει μια χαρά. Μάλιστα, η αντίδρασή της μόνο ανακούφιση του προκάλεσε στην πραγματικότητα. Βέβαια, ήταν σίγουρος ότι θα μπορούσε να είχε χειριστεί το θέμα με μεγαλύτερο τακτ, οι γαλιφιές όμως και τα κόλπα με τις γυναίκες δεν του ταίριαζαν πια. Αντίθετα, ένιωθε ότι ανήκαν οριστικά στο παρελθόν.

Όχι πως το θεωρούσε σωστό αυτό, αλλά...

Ο Ραφαέλ έριξε μια άγρια ματιά στο τηλέφωνο φανερά θυμωμένος.

Ήταν τυχερός που ήταν Παρασκευή και είχαν φύγει όλοι

οι εργαζόμενοι από το γραφείο πριν από τις εφτά. Μόνο έτσι μπορούσε να κρύψει την ταραχή που του είχε προκαλέσει η κουβέντα του με τον Γκούντμαν.

Στην αρχή ήταν διστακτικός να του τηλεφωνήσει, μέχρι που θεώρησε ότι οι κάποιες επαγγελματικές συναλλαγές που είχαν μεταξύ τους του έδιναν αυτό το δικαίωμα. Φυσικά, το πρόσχημα που επικαλέστηκε ήταν η πρόθεσή του να επενδύσει στην επιχείρηση του Γκούντμαν, κάτι που όλοι γνώριζαν ότι το συνήθιζε έτσι κι αλλιώς. Όπως ήταν φυσικό, ο άλλος τσίμπησε το δόλωμα. Σε σημείο που του αποκάλυψε τα πάντα, χωρίς ο ίδιος να χρειαστεί ούτε καν να ρωτήσει αυτό που τον έκαιγε να μάθει.

Κοντολογίς ο Γκούντμαν του ομολόγησε ότι επρόκειτο να συναντήσει την Κριστίνα.

Ο Ραφαέλ δεν είχε την παραμικρή αμφιβολία ότι θα περνούσαν καλά οι δυο τους. Το προκλητικό κατακόκκινο φόρεμά της και η διάθεσή της για *διασκέδαση* ήταν βέβαιος ότι θα έκαναν το θαύμα τους. Με σφιγμένα δόντια, άκουσε ότι η συνάντηση είχε κανονιστεί για το ίδιο απόγευμα. Μάλιστα ο Γκούντμαν του ανακοίνωσε αστειευόμενος ότι θα έπρεπε να πετάξει προκειμένου να φτάσει εγκαίρως στο εστιατόριο του Γουέστ Εντ όπου θα συναντούσε την Κριστίνα.

«Λυπάμαι, αλλά πολύ φοβάμαι πως θα αναγκαστώ να σου αλλάξω τα σχέδια». Ακούγοντας τον εαυτό του να ζητάει χωρίς καμία τύψη από τον Γκούντμαν να αναβάλει το ραντεβού του, ο Ραφαέλ ξαφνιάστηκε ακόμα και ο ίδιος με το θράσος του. «Πρόκειται για κάποιες αναφορές που έχει συντάξει το νομικό μου τμήμα. Επειδή η συγκεκριμένη επένδυση μας ενδιαφέρει ιδιαίτερα, θέλω να σου τις στείλω μέσα στην επόμενη μισή ώρα. Σε προειδοποιώ ότι είναι πάρα πολλές. Θα πρέπει να λάβω τα σχόλιά σου νωρίς αύριο το πρωί». Στο σημείο αυτό έκανε μια σύντομη παύση, δίνοντας στον Γκούντμαν την ευκαιρία να υπολογίσει πόσο σημαντικό θα ήταν για την επιχείρησή του να εισπράξει λίγο ζεστό χρήμα. «Φαντάζομαι να καταλαβαίνεις ότι δε γίνεται να καθυστερήσουμε...» Μετά από μια δεύτερη σύντομη παύση, έριξε το τελειωτικό χτύπημα. «Όπως καταλαβαίνεις, υπάρχουν και άλλες επιχειρήσεις που μας πιέζουν να τις προτιμήσουμε. Έχω την υποψία ότι αν δε βιαστείς... θα χάσεις την ευκαιρία και θα την κερδίσει κάποιος άλλος».

Φυσικά το αποτέλεσμα της συζήτησης ήταν αυτό που περίμενε. Διότι καλό είναι ένα καυτό ραντεβού, αλλά ακόμα καλύτερη μια επαγγελματική ευκαιρία...

Αμέσως μετά το τηλεφώνημα, ο Ραφαέλ αποφάσισε να βάλει σε μια τάξη τις σκέψεις του. Γιατί όσο κι αν προτιμούσε να σπρώξει αυτά που τον ενοχλούσαν κάτω από το χαλί και να τα ξεχάσει, ήταν αδύνατον.

Έτσι αναγνώρισε ότι η Κριστίνα είχε καταφέρει να μπει στο αίμα του. Ακόμα και μετά το χωρισμό τους, εκείνη εξακολουθούσε να βρίσκεται εκεί και να τον βασανίζει. Και μόνο η σκέψη ότι θα μπορούσε να βρεθεί στο κρεβάτι του Γκούντμαν, τον εξαγρίωνε.

Αρπάζοντας βιαστικά το σακάκι του, έκλεισε τον υπολογιστή του και βγήκε από το σπίτι. Η συμπεριφορά του ήταν αχαρακτήριστη, ήταν απολύτως βέβαιος γι' αυτό, σκεφτόταν καθώς κατέβηκε στο υπόγειο γκαράζ του κτιρίου και μπήκε στη Φεράρι που τις τελευταίες τέσσερις ημέρες παρέμενε εκεί ακινητοποιημένη.

Η κίνηση που υπήρχε στους δρόμους ήταν αφόρητη και τον εκνεύρισε. Κολλημένος στο δρόμο και μη μπορώντας να κάνει κάτι άλλο, φαντάστηκε τη βραδιά που θα ζούσε η Κριστίνα αν δεν επενέβαινε εκείνος. Τα ποτά και το δείπνο στου Χάρβεϊ Νίκολς όπου η μουσική και οι ομιλίες τρυπούσαν τα αυτιά και το αλκοόλ έρεε άφθονο, θα εξασφάλιζαν εύκολα στον Γκούντμαν μια βολική ατμόσφαιρα. Μετά από ένα δύο ποτά, η Κριστίνα θα άρχιζε να αισθάνεται παράξενα.

Και μόνο η σκέψη ότι θα μπορούσε να είχε βρεθεί εκείνη σε ένα τέτοιο μέρος, φορώντας το κόκκινο φόρεμα και έτοιμη να διασκεδάσει, του έφερνε ανατριχίλα.

Έφτασε στον προορισμό του γύρω στις οκτώ, αλλά καθυστέρησε αρκετά καθώς προσπαθούσε να βρει μια θέση να παρκάρει.

Το μόνο θετικό ήταν ότι δεν είχε πια λόγο να ανησυχεί για τον Γκούντμαν. Πριν από δύο μόλις λεπτά είχε λάβει ένα μήνυμα στο κινητό του που τον ενημέρωνε ότι εκείνος είχε λάβει ήδη τις αναφορές στον υπολογιστή του και είχε αρχίσει να τις μελετάει με ιδιαίτερη προσοχή.

Σίγουρος ότι θα είχε ενημερώσει έγκαιρα την Κριστίνα για την ακύρωση του ραντεβού, πίεσε το κουδούνι του σπιτιού της.

«Ήμουν στην περιοχή και σκέφτηκα να περάσω για να σε δω», της δήλωσε με ύφος ανέμελο μόλις του απάντησε στο θυροτηλέφωνο.

Η Κριστίνα αισθάνθηκε ένα ρίγος στο άκουσμα της φωνής του. Ο Τζέιμς, ο τύπος που επρόκειτο να συναντήσει, της είχε τηλεφωνήσει πριν από λίγο για να της πει ότι του είχε προκύψει κάποιο εμπόδιο. Η βαθιά ανακούφιση που της προκάλεσαν τα λόγια του τη γέμισε με τύψεις. Εντάξει, ο άνθρωπος ήταν φίλος και συνεργάτης του Ραφαέλ και την είχε φλερτάρει πολύ τολμηρά στο πάρτι και γενικά έδειχνε να έχει κάπως περιορισμένο αυτοέλεγχο, αλλά η ίδια δεν ήταν κανένα μωρό.

Η ξαφνική επίσκεψη του Ραφαέλ αποσυντόνισε εντελώς το μυαλό της. Τις τελευταίες ημέρες τις είχε περάσει σκεφτόμενη την καινούρια γυναίκα που είχε μπει στη ζωή του. Κάθε φορά που την έβλεπε με τη φαντασία της να γέρνει ανέμελη πάνω του, αναστατωνόταν.

«Λοιπόν τι θα γίνει; Θα μου ανοίξεις ή όχι;»

«Τι γυρεύεις εδώ;» ρώτησε η Κριστίνα μιμούμενη το δικό του απότομο ύφος.

«Σου εξήγησα ότι βρέθηκα στη γειτονιά εντελώς τυχαία. Όταν θυμήθηκα ότι στο πάρτι ούτε που μιλήσαμε...»

«Δε θυμάσαι καλά», τον διέκοψε ξερά η Κριστίνα. «Μιλήσαμε μια χαρά. Μου δήλωσες ότι είχα τα χάλια μου, οπότε κι εγώ προτίμησα να σε αποφύγω, ώστε να μη βάλω σε δοκιμασία την αισθητική σου».

«Θα μου ανοίξεις καμιά φορά; Δε γίνεται να τα πούμε όλα από το θυροτηλέφωνο».

Η Κριστίνα δίστασε για μια στιγμή, αλλά τελικά πάτησε το

κουμπί και στη συνέχεια κατευθύνθηκε προς την εξώπορτα. Μόλο που τον τελευταίο καιρό δεν έκανε άλλο τίποτα από το να υποδεικνύει στον εαυτό της ότι εκείνος ήταν ψυχρός και αξιολύπητος, η καρδιά της εξακολουθούσε να χτυπάει τρελά γι' αυτόν και να υποφέρει που ο Ραφαέλ ήταν τώρα πια με κάποια άλλη.

Αν και είχε περάσει αρκετή ώρα μετά το τηλεφώνημα του Γκούντμαν, δεν είχε αλλάξει ρούχα. Τη στιγμή που χτύπησε το θυροτηλέφωνο είχε μόλις πετάξει τις γόβες της και σχεδίαζε να περάσει μια ήρεμη βραδιά μπροστά στην τηλεόραση. Όμως η ξαφνική εμφάνιση του Ραφαέλ ανέτρεψε εντελώς τα σχέδιά της.

Καθώς του άνοιγε την πόρτα, πήρε μερικές βαθιές ανάσες προκειμένου να ελέγξει τη νευρικότητα που είχε κάνει το στομάχι της να δεθεί κόμπος.

Εκείνος επωφελήθηκε από την ταραχή της και μπήκε μέσα πριν τον ρωτήσει τι ακριβώς ήθελε.

Η Κριστίνα έκλεισε την πόρτα και έβαλε τα δυνατά της να συνέλθει. Το προηγούμενο Σάββατο εκείνος ήταν εκτυφλωτικά όμορφος και συγκλονιστικά γοητευτικός. Η ίδια όμως τον προτιμούσε όπως ήταν τώρα. Με μαλλιά κάπως αχτένιστα, τη γραβάτα χαλαρή και ένα κουρασμένο ύφος στο πρόσωπό του.

«Ετοιμάζεσαι να βγεις;» τη ρώτησε δήθεν αδιάφορα ο Ραφαέλ καθώς περιεργαζόταν με περιέργεια το τιρκουάζ φόρεμά της. Ήταν άλλο ένα από τα καινούρια της ρούχα που κατάφερναν να αναδεικνύουν μοναδικά τις καταπληκτικές καμπύλες της, κάνοντάς τον να σκέφτεται πώς θα τη στριμώξει στη γωνία...

Για μια στιγμή η Κριστίνα μπήκε στον πειρασμό να του απαντήσει καταφατικά, έστω κι αν ήταν ψέματα. Ώσπου κατάλαβε ότι της ήταν αδύνατον να το κάνει.

«Θα έβγαινα, αλλά κάτι προέκυψε και ακυρώθηκε το ραντεβού», του απάντησε αόριστα.

«Ναι; Προφανώς ο τύπος με τον οποίο θα έβγαινες δεν είναι και πολύ αξιόπιστος», σχολίασε ο Ραφαέλ και καταφέρ-

νοντας μετά από προσπάθεια να τραβήξει τα μάτια του από
πάνω της, κατευθύνθηκε προς τις σκάλες.

Μη έχοντας άλλη επιλογή, η Κριστίνα τον ακολούθησε
υποχρεωτικά στην κουζίνα όπου εκείνος είχε ήδη βγάλει από
το ντουλάπι δυο ποτήρια του κρασιού.

«Και ποιος ήταν ο τυχερός;» τη ρώτησε με προσποιητή
φυσικότητα. «Κάποιος που γνωρίζω;»

«Ο Τζέιμς. Τον γνώρισα στο πάρτι σου».

«Εννοείς τον Γκούντμαν; Μη μου πεις!»

«Σου λέω!»

Για κάμποση ώρα έμειναν σιωπηλοί, απολαμβάνοντας αρ-
γά το κρασί που σέρβιρε και για τους δυο τους ο Ραφαέλ.

Ώσπου τη σιωπή διέκοψε πρώτος εκείνος.

«Τότε μάλλον έκανα σωστά που σκέφτηκα να σε ειδο-
ποιήσω».

«Για ποιο πράγμα; Δε σε καταλαβαίνω». Σταυρώνοντας τα
χέρια στο στήθος της, η Κριστίνα προσπάθησε να αναλύσει
το γεμάτο συμπόνια και διάθεση για συμπαράσταση ύφος
του. «Ήξερες ότι ο Τζέιμς θα επιχειρούσε να επικοινωνήσει
μαζί μου;» τον ρώτησε επιφυλακτικά.

Φυσικά ο Ραφαέλ έσπευσε να το αρνηθεί, και μάλιστα
χωρίς την παραμικρή τύψη, πείθοντας τον εαυτό του ότι
εκείνη είχε ανάγκη από τη συμβουλή του.

«Τον χρησιμοποίησα απλώς ως παράδειγμα προκειμένου
να σου ανοίξω τα μάτια για το πόσο εύκολα οι άντρες
θαμπώνονται από τη σεξουαλικότητα μιας γυναίκας και στη
συνέχεια αλλάζουν γνώμη».

«Δε χρειάζομαι το κήρυγμά σου περί αντρών», τον διέκοψε
αποφασιστικά η Κριστίνα, νιώθοντας τη μια από τις γόβες
που είχε φορέσει αναγκαστικά πριν ανοίξει την πόρτα, να τη
χτυπάει εκνευριστικά στο δάχτυλο.

«Ξέρω, ξέρω. Εσύ αναζητάς τον κύριο Σωστό μέσα από μια
διαδρομή σπαρμένη με πολλούς κυρίους Λάθος».

Το θράσος του ήταν τεράστιο. Όταν άκουσε τη φωνή του
στο θυροτηλέφωνο, η καρδιά της φτερούγισε και μέσα της
ξύπνησε εκείνη η πρωτόγονη γυναίκα που λαχταρούσε το

χάδι του. Τα λόγια του όμως το μόνο που κατάφεραν ήταν να την κάνουν να παγώσει.

«Με ποιο δικαίωμα με κατηγορείς ότι κοιμάμαι με διάφορους άντρες;» του επιτέθηκε θυμωμένη. «Ο μόνος άντρας που υπήρξε στη ζωή μου ήσουν εσύ! Αλλά εσύ έχεις ήδη βρει κάποια άλλη. Εκτός κι αν η Σίντι είναι απλή φίλη!»

«Τώρα μιλάμε για σένα! Εγώ ξέρω πώς να χειριστώ τα προσωπικά μου», ισχυρίστηκε ο Ραφαέλ.

«Όσο για αυτό είμαι σίγουρη! Πίστεψέ με, οι γυναίκες σου είναι εκείνες που αξίζουν τη συμπάθειά μου!»

Τι στο καλό ισχυριζόταν; Ότι ο Γκούντμαν ήταν καλύτερος; Και ότι το μόνο που έκανε ο ίδιος ήταν να δημιουργεί προβλήματα και στεναχώριες στις γυναίκες που τον ερωτεύονταν;

Στη σκέψη ότι είχε πάει μέχρι το σπίτι της με σκοπό να της μιλήσει γι' αυτήν ακριβώς την κατηγορία των αντρών κι εκείνη είχε σπεύσει να τον κατατάξει αβασάνιστα ανάμεσά τους, ο Ραφαέλ έγινε έξαλλος.

Τον πλήγωνε η αδικία!

«Είτε το πιστεύεις είτε όχι, η Σίντι κι εγώ δεν υπήρξαμε ποτέ εραστές», την πληροφόρησε με ουδέτερη φωνή, προσπαθώντας να καταπιεί την προσβολή που του έκανε.

Το τελευταίο που ήθελε η Κριστίνα ήταν να αφήσει την αγάπη της γι' αυτόν να την παρασύρει τώρα που γνώριζε πόσο βαθύ ήταν το χάσμα που τους χώριζε.

Ωστόσο, στάθηκε αδύνατον να μη νιώσει ευχαρίστηση ακούγοντάς τον. Και μόνο το γεγονός ότι ο Ραφαέλ δεν την είχε ξεπεράσει τόσο εύκολα...

«Ο Γκούντμαν όμως έχει πολύ κακή φήμη!»

Τα τελευταία του λόγια την προσγείωσαν απότομα στην πραγματικότητα.

«Εμένα μου φαίνεται μια χαρά άνθρωπος», υποστήριξε ωστόσο με ψυχρή φωνή.

«Αν θεωρείς —μια χαρά— όποιον καρφώνεται όλη τη νύχτα κοιτάζοντας τα στήθη σου...»

«Υποθέτω ότι τώρα θα αρχίσεις το κήρυγμα για το πόσο τολμηρό και ακατάλληλο ήταν το φόρεμα που φορούσα!»

Ο Ραφαέλ δε μίλησε στην αρχή, προσπαθώντας να ελέγξει τον πόθο που τον έκανε να θέλει να την αρπάξει στην αγκαλιά του και να χώσει το πρόσωπό του ανάμεσα στα υπέροχα στήθη της.

«Θα ήταν η πρώτη σας συνάντηση ή έχετε συναντηθεί κι άλλη φορά;» τη ρώτησε τελικά, βάζοντας τα δυνατά του να συνέλθει. «Σε έχει αγγίξει ποτέ; Κοιμήθηκες μαζί του;»

«Όχι, βέβαια!» Βλέποντας το άγριο ύφος του, η Κριστίνα αναρωτήθηκε τι στο καλό είχε πάθει. «Το περασμένο Σάββατο τον γνώρισα!»

«Αυτό δε λέει τίποτα!» ισχυρίστηκε με ζέση ο Ραφαέλ.

«Λέει ότι δεν είμαι απ' αυτές τις γυναίκες! Φανταζόμουν ότι θα το ήξερες ήδη».

«Κάποτε νόμιζα ότι ίσχυε πράγματι αυτό! Μέχρι που σε είδα να ντύνεσαι τολμηρά μόνο και μόνο για να εντυπωσιάζεις τα αρσενικά!»

«Δεν έκανα ποτέ κάτι τέτοιο!»

«Εντάξει, το έκανες μόνο για τον Γκούντμαν».

Στο σημείο αυτό ο Ραφαέλ έκανε μια παύση, περιμένοντας να την ακούσει να το αρνείται. Το γεγονός ότι η Κριστίνα παρέμεινε σιωπηλή, φούντωσε ακόμα περισσότερο το θυμό του. Αν εκείνη είχε δεχτεί την πρόταση γάμου που της είχε κάνει, δε θα είχε υποχρεωθεί τώρα να μεταμορφωθεί σε ένα πλάσμα εντελώς διαφορετικό. Το παραδοσιακό και καλόβολο κορίτσι που είχε γνωρίσει εκείνος πριν από λίγο καιρό, είχε δώσει τη θέση του σε μια γυναίκα εκρηκτική και ποθητή, έτοιμη να ανάψει όλους τους άντρες όπως άναβε τώρα δα και τον ίδιο.

«Λοιπόν;»

Πρόφερε τη λέξη έτσι στην τύχη, μόνο και μόνο για να δείξει πως συνέχιζαν τη συζήτηση που είχαν αρχίσει.

«Λοιπόν, τι πράγμα;» είπε αγριεμένη η Κριστίνα.

Πριν να μιλήσει ξανά, ο Ραφαέλ ήπιε μερικές γουλιές από το κρασί του σε μια προσπάθεια να ελέγξει τον εαυτό του.

«Θέλω να καταλάβεις ότι βρίσκομαι εδώ καθαρά από φιλικό ενδιαφέρον», τη διαβεβαίωσε, επιστρατεύοντας όλη την πειθώ του. «Επειδή είσαι καινούρια στο παιχνίδι, ένιωσα υποχρεωμένος να σε προειδοποιήσω πως... φορέματα σαν το κόκκινο ή αυτό που φοράς σήμερα το μόνο που καταφέρνουν είναι να στέλνουν λάθος μηνύματα στους άντρες... Με ένα σώμα σαν το δικό σου...» Απλώνοντας σαν μεθυσμένος το χέρι του, διέτρεξε το λαιμό της με το δείκτη του και ρίγησε μόλις την ένιωσε να ανατριχιάζει. «Ποιος σου λέει ότι δεν ήμουν κι εγώ ένας από τους άντρες που σε παρακολουθούσαν το Σάββατο σαν υπνωτισμένοι;...»

Η Κριστίνα δεν μπόρεσε να πει λέξη. Το μόνο που έκανε ήταν να αγγίξει δειλά το στέρνο του, κλείνοντας τα μάτια της. Και τότε ο Ραφαέλ την τράβηξε άγρια πάνω του και αναζήτησε λαίμαργα τα χείλη της. Άρχισε να της κατεβάζει με νευρικές κινήσεις το φερμουάρ του φουστανιού της και η Κριστίνα τον βοήθησε να την απαλλάξει και από τα υπόλοιπα ρούχα της.

Το γυμνό κορμί της εξακολουθούσε να είναι το ίδιο λαχταριστό όπως το έβλεπε στα όνειρά του. Νιώθοντας την αδρεναλίνη του να σκαρφαλώνει στα ύψη, ο Ραφαέλ έγειρε όλος λαχτάρα πάνω στα στήθη της που ήταν ελεύθερα από σουτιέν κάτω από το τιρκουάζ φόρεμα.

Μόνο που η Κριστίνα είχε ετοιμαστεί έτσι για χάρη του Γκούντμαν.

Όχι για κείνον.

Και μόλο που του δήλωνε μέχρι πρόσφατα ότι τον αγαπούσε, ήταν έτοιμη να δεχτεί τα χάδια και τα γλυκόλογα ενός άλλου άντρα.

Αυτή η σκέψη τον έκανε να παγώσει.

«Δε νομίζω ότι είναι φρόνιμο», της ανακοίνωσε ξαφνικά, ρίχνοντας μια τελευταία πεινασμένη ματιά στο υπέροχο, ποθητό κορμί της. Βλέποντάς τη να φοράει βιαστικά τα ρούχα της με πρόσωπο αναψοκοκκινισμένο, ένιωσε τη διάθεση να την πονέσει ακόμα περισσότερο. «Δεν καταλαβαίνω για ποιο λόγο ανησύχησα τόσο για τον Γκούντμαν. Από ό,τι φαίνεται εσύ είσαι έτοιμη να αρχίσεις μια καινούρια ζωή γεμάτη δράση και περιπέτειες...»

«Είναι απαίσιο αυτό που λες», είπε η Κριστίνα, νιώθοντας φρικτά κάτω από το βλέμμα του που ήταν ακόμα πιο περι-

φρονητικό και από την ημέρα που του επέστρεψε το δαχτυ-
λίδι του αρραβώνα.

Ο Ραφαέλ όμως δεν της έδωσε σημασία. Αντίθετα, βγήκε
στο διάδρομο και άρχισε να κατεβαίνει τη σκάλα.

Η Κριστίνα τον πρόλαβε στο χολ της εισόδου.

«Σε παρακαλώ, μη φύγεις έτσι», του ζήτησε με φωνή
γεμάτη απόγνωση.

Εκείνος στράφηκε και την κοίταξε παγερά. «Δηλαδή, πώς;»

«Δεν είμαι αυτή που περιγράφεις! Αλλά κι εσύ γιατί με
φίλησες;»

«Ήσουν έτοιμη να κοιμηθείς μαζί μου!»

«Ναι. Επειδή νιώθω για σένα... Ξέρω ότι είναι μεγάλο λάθος,
αλλά δεν μπορώ να κάνω διαφορετικά. Αυτό όμως δε σημαί-
νει ότι σκόπευα να κάνω το ίδιο και με τον Τζέιμς! Μήπως
τον ζηλεύεις;» ρώτησε έξαφνα, κοιτάζοντάς τον καχύποπτα.

Ο Ραφαέλ αντέδρασε βίαια. «Εγώ; Να ζηλεύω αυτόν! Όχι,
βέβαια!»

«Σωστά. Γιατί να το κάνεις. Εσύ άλλωστε έχεις τη Σίντι».
Νιώθοντας την καρδιά της να βουλιάζει, η Κριστίνα τύλιξε τα
χέρια της που έτρεμαν γύρω από το κορμί της. «Ήταν λάθος
που ήρθες σήμερα».

«Δεν έχεις ιδέα πόσο συμφωνώ!» έσπευσε να τη διαβε-
βαιώσει ο Ραφαέλ.

Ένιωθε στην κυριολεξία έξαλλος μαζί της. Και μόνο το
γεγονός ότι είχε ντυθεί τόσο ελκυστικά για χάρη του Γκούντ-
μαν, τον εξαγρίωνε.

«Πάντως αν ο τύπος σου αρέσει, εγώ δεν έχω καμία αντίρ-
ρηση!» έσπευσε να της δηλώσει με προσποιητή αδιαφορία
καθώς έβγαινε φουριόζος από το σπίτι.

ΚΕΦΑΛΑΙΟ 10

Τρεις μέρες αργότερα η Κριστίνα αποφάσισε ότι όφειλε επιτέλους να ξεπεράσει την τελευταία συνάντησή τους. Έχοντας κουραστεί να ζει από τότε μέσα στη θλίψη και την απελπισία που την κατέβαλλαν όχι μόνο ψυχικά, αλλά και σωματικά, αποφάσισε να ξεπεράσει οριστικά τον Ραφαέλ παρ' όλο που το ενδεχόμενο να μην τον ξαναδεί ποτέ της δημιουργούσε άγχος και πανικό.

Το πρώτο που σκέφτηκε προκειμένου να συνέλθει, ήταν να φύγει για λίγες μέρες, αφήνοντας το ανθοπωλείο στα άξια χέρια της Άνθια. Αντί όμως να πάει σε ένα ξενοδοχείο ή στους γονείς της όπως είχε σκεφτεί αρχικά, αποφάσισε να επικοινωνήσει με την Αμίλια Κόνολι· μια συμπαθητική κυρία που της είχε ζητήσει να επισκεφτεί όποτε της ήταν εύκολο τον μικρό κήπο που είχε στο εξοχικό της και να της δώσει συμβουλές.

Το γεγονός ότι η γυναίκα δέχτηκε πρόθυμα, πληροφορώντας τη μάλιστα ότι η ίδια θα έλειπε εκτός χώρας, την έπεισε να φορτώσει το Μίνι της και να ξεκινήσει αμέσως.

Παρέλαβε το κλειδί της μικρής αγροικίας όπου θα φιλοξενούνταν και εκτελούσε χρέη ξενώνα από το γείτονα των Κόνολι. Το κυρίως σπίτι ήταν μια όμορφη, μεγάλη έπαυλη, η οποία όμως ήταν κλειστή.

Απόλυτα ικανοποιημένη η Κριστίνα με τη μικρή αγροικία που ταίριαζε περισσότερο στο στιλ της, έφτιαξε ένα τσάι στη μικρή κουζίνα και βγήκε από την πρώτη κιόλας ώρα για να κάνει μια μεγάλη βόλτα στην περιοχή.

Είχε φέρει μαζί της φαγητό για τέσσερις μέρες και μόλο που η Αμίλια είχε ειδοποιήσει να της γεμίσουν το ψυγείο της αγροικίας, η ίδια ήταν απόλυτα αυτάρκης. Το πρώτο βράδυ έπεσε στο κρεβάτι κουρασμένη, έχοντας απολαύσει προηγουμένως μια ομελέτα.

Το επόμενο πρωί ξύπνησε ζωηρή και κεφάτη. Γελώντας με τις προειδοποιήσεις της Αμίλια ότι στην περιοχή κυκλοφορούσαν κλέφτες και κακοποιοί, περπάτησε όλο το πρωί, με αποτέλεσμα το μεσημέρι να τσιμπήσει κάτι και να πέσει κατάκοπη για ύπνο.

Ξύπνησε έχοντας την περίεργη αίσθηση ότι δεν ήταν μόνη στο σπίτι. Φέροντας στο μυαλό της τις ανησυχητικές προειδοποιήσεις της Αμίλια, πήγε στην κουζίνα.

Βλέποντας μπροστά της μια μεγάλη σκιά, δε στάθηκε να σκεφτεί. Άρπαξε το χοντρό βιβλίο της κηπουρικής και το κατέβασε με δύναμη πάνω στο κεφάλι του εισβολέα.

* * *

Ο Ραφαέλ οπισθοχώρησε κατάπληκτος από τη βίαιη επίθεση. Είχε φροντίσει να παρκάρει σε αρκετή απόσταση ώστε να μην ανησυχήσει τους κατοίκους της περιοχής ο θόρυβος του αυτοκινήτου. Η βροχή που τον έπιασε όμως στο δρόμο και τον μούσκεψε μέχρι το κόκαλο, τον υποχρέωσε να μπει στον ξενώνα από τη μισάνοιχτη μπαλκονόπορτα και να αντικαταστήσει τα ρούχα του με το μπουρνούζι της Κριστίνα που βρήκε στο μπάνιο.

Η Κριστίνα, βλέποντάς τον, αρχικά ένιωσε σοκ και έκπληξη. Κι ύστερα όρμησαν στο μυαλό της σαν τρελά πουλιά τα πρόσφατα γεγονότα και τότε τον κοίταξε αυστηρά.

«Πώς με βρήκες;»

Ο Ραφαέλ μάντεψε πως η κατάσταση δε θα ήταν εύκολη.

«Από την Άνθια», απάντησε. «Την έπεισα να μου πει τα πάντα. Το όνομα της περιοχής, το σπιτάκι όπου θα έμενες, το μυστικό της μισάνοιχτης μπαλκονόπορτας...»

«Ωραία. Τώρα αυτό που θέλω είναι να βγάλεις το μπουρνούζι μου και να φύγεις. Για την ακρίβεια, να εξαφανιστείς οριστικά από τη ζωή μου!»

«Μην το λες αυτό, Κριστίνα, σε παρακαλώ».

Της μιλούσε με το ύφος που την έκανε να λιώνει. Μόνο που εκείνη δεν ήταν διατεθειμένη να πέσει ξανά στην παγίδα.

«Και τι θα προτιμούσες να πω, Ραφαέλ;»

«Απλώς να αναγνωρίσεις ότι δε μου είναι εύκολο όλο αυτό».

«Ποιο, δηλαδή; Το να μπαινοβγαίνεις στη ζωή μου όποτε σου αρέσει;»

Εκείνος έκανε μια αόριστη χειρονομία στον αέρα.

«Καταλαβαίνω πως έχεις θυμώσει...»

«Δεν καταλαβαίνεις τίποτα!» του φώναξε η Κριστίνα, νιώθοντας ολόκληρο το κορμί της να τρέμει καθώς διαπίστωνε ότι αυτός ο άντρας ήταν η Αχίλλειος πτέρνα της, ο άνθρωπος που θα μπορούσε εύκολα να της καταστρέψει τη ζωή. «Την τελευταία φορά που μιλήσαμε...»

«Σε παρακαλώ, άκουσέ με. Για ένα λεπτό μονάχα».

Νιώθοντας και ο ίδιος σοκαρισμένος με την ανάγκη του να δεχτεί η Κριστίνα να τον ακούσει, ο Ραφαέλ χαμήλωσε νικημένος το κεφάλι.

«Το ραντεβού με τον Γκούντμαν. Εγώ το χάλασα», ομολόγησε. «Του τηλεφώνησα και κανόνισα κάτι άλλο. Επειδή ήξερα ότι θα σε συναντούσε».

«Τι πράγμα;»

«Ζήλεψα!» Ρίχνοντάς της μια κλεφτή ματιά, ο Ραφαέλ προσπάθησε να μαντέψει τις διαθέσεις της. «Εντάξει, το παραδέχομαι πως το παράκανα. Αλλά φταίει η ζήλια μου που με οδήγησε στα άκρα».

Η Κριστίνα σώπασε για λίγο, προσπαθώντας να αντιληφθεί τι ακριβώς του συνέβαινε.

«Το μόνο που σε ενδιαφέρει είναι ο εαυτός σου, σωστά;» τον κατηγόρησε μόλις έβγαλε το συμπέρασμά της. «Ψάχνεις μια κατάλληλη σύζυγο και μόλις τη βρίσκεις κι εκείνη σε εγκαταλείπει, θεωρείς ότι δεν έχει το δικαίωμα να σου στερήσει το παιχνίδι σου ή να σου ανατρέψει τα σχέδια!»

«Ναι».

Η ομολογία του την άφησε άφωνη για λίγο.

«Τι πράγμα;»

«Παραδέχομαι ότι είχα καταστρώσει τα πάντα σύμφωνα με το πώς με βόλευε».

Βλέποντάς τη να σωριάζεται σε μια καρέκλα, ο Ραφαέλ αναρωτήθηκε για μια στιγμή πώς θα αντιδρούσε εκείνη αν την πλησίαζε, αλλά στο τέλος αποφάσισε ότι είχε ήδη κάνει αρκετά λάθη για να προσθέσει κι άλλα.

«Παραδέχομαι ότι τα κίνητρά μου ήταν εντελώς εγωιστικά. Τα σχεδίασα όλα χωρίς να λάβω υπόψη μου αν σου άρεσαν ή όχι. Αναγνωρίζω ότι σε θεωρούσα δεδομένη και πίστευα ότι ο γάμος ήταν το καλύτερο που θα μπορούσα να σου προσφέρω». Η φωνή του έσπασε. «Αυτό που δεν περίμενα ήταν πως θα νιώσω για σένα όλα αυτά που κάποτε αποκαλούσα αγάπη. Τη λαχτάρα, το πάθος, τη στοργή, το ενδιαφέρον... Ήταν πράγματα που τα είχα αισθανθεί κάποτε για την Έλεν και στη συνέχεια τα μίσησα. Το γεγονός ότι άρχισα να τα αισθάνομαι και πάλι εξαιτίας σου...»

Η Κριστίνα τον είδε να στρώνει νευρικά τα μαλλιά του με χέρι που έτρεμε και ένιωσε μεγάλη ευχαρίστηση.

«Δεν μπόρεσα να καταλάβω πόσα σήμαινες για μένα μέχρι που βγήκες από τη ζωή μου. Αλλά ούτε και τότε θέλησα να παραδεχτώ πως σε αγαπούσα», συνέχισε εκείνος. «Ένιωθα πολύ πληγωμένος. Τώρα όμως όλα έχουν αλλάξει, Κριστίνα. Έχω αποδεχτεί την αλήθεια. Και δε θέλω πια να σε παντρευτώ επειδή ανταποκρίνεσαι στο μοντέλο της συζύγου που έχω στο μυαλό μου. Αλλά επειδή δεν μπορώ να ζήσω μακριά σου. Και επειδή τρελαίνομαι από ζήλια όποτε μιλάς με άλλον άντρα. Αυτόν τον Γκούντμαν... μου ήρθε να τον σκοτώσω».

Εκείνη κοίταξε τρυφερά το σοβαρό του πρόσωπο κι ο Ραφαέλ τόλμησε να κάνει την ερώτηση που τον έκαιγε.

«Λοιπόν, θα με παντρευτείς, Κριστίνα;» Κάνοντας αργά ένα βήμα προς το μέρος της, την κοίταξε βαθιά στα μάτια. «Γιατί η αλήθεια είναι ότι δεν αντέχω τη ζωή χωρίς το γέλιο σου. Έδωσες νόημα και χρώμα στη ζωή μου. Προοπτικές και ελπίδες. Αν δεν μπορείς να μου απαντήσεις τώρα, θα σε περιμένω μέχρι...»

«Δεν υπάρχει λόγος να περιμένεις, Ραφαέλ», τον πληροφόρησε ήρεμα η Κριστίνα με μάτια που γυάλιζαν από δάκρυα ευτυχίας. «Την έχω έτοιμη την απάντηση...»

ΕΠΙΛΟΓΟΣ

Ένα χρόνο αργότερα οι δυο οικογένειες συναντήθηκαν στην έπαυλη της Μαρίας για ένα ιδιαίτερα σημαντικό γεγονός.

Ο γάμος είχε γίνει στην Ιταλία, σε μια απλή τελετή, όπως ήθελε η Κριστίνα.

Τώρα βρίσκονταν όλοι εδώ για ένα άλλο γεγονός, τη βάφτιση της εγγονής της Μαρίας.

Η Κριστίνα είχε μείνει έγκυος κατά τη διάρκεια του γαμήλιου ταξιδιού τους στις Σεϋχέλλες και όταν επέστρεψαν στο Λονδίνο, έμειναν σε ένα υπέροχο σπίτι, στα περίχωρα, το οποίο είχε φροντίσει να αγοράσει ο Ραφαέλ για να στεγάσουν την ευτυχία τους.

Στην ίδια περιοχή είχε ανοίξει και η Κριστίνα το νέο ανθοπωλείο της. Το γεγονός ότι η Άνθια μετακόμισε πρόθυμα κοντά τους προκειμένου να αναλάβει την επιχείρηση, την έκανε να πιστεύει ότι η ζωή μπορούσε να γίνεται ολοένα και καλύτερη.

Λικνίζοντας απαλά στην αγκαλιά της την αγγελική Ισαβέλα-Μαρία που είχε βαφτιστεί πριν από λίγο μέσα σε μια ατμόσφαιρα αγάπης, παρόντων συγγενών και φίλων, η Κριστίνα έγειρε στην αγκαλιά του άντρα της που έσκυψε και τη φίλησε τρυφερά στην κορυφή του κεφαλιού της.

«Είναι πανέμορφη, δεν είναι;» ψιθύρισε στο αυτί της ο Ραφαέλ. «Και όλοι λένε ότι μοιάζει στον μπαμπά της. Πράγμα που σημαίνει...»

Εξακολούθησε ακάθεκτος να κάνει τους υπολογισμούς του, αγνοώντας το γάργαρο γέλιο της γυναίκας του. «... Ότι δε θα χορταίνει με τίποτα το στήθος σου. Γι' αυτό και τρώει συνέχεια. Όσο για τον μπαμπά της...» Την έσφιξε πάνω του με νόημα. «Να ξέρεις, αγάπη μου, ότι δε βλέπει την ώρα να φύγουν όλοι για να αρχίσει την προσπάθεια να σε καταστήσει και πάλι έγκυο...»

ΤΟ ΤΡΑΓΟΥΔΙ ΤΟΥ ΕΡΩΤΑ

της India Grey

Η πιο γλυκιά μελωδία...

Η συναρπαστική ζωή του πιλότου Ορλάντο Γουίντερτον άλλαξε από τη μια στιγμή στην άλλη, όταν μια σοβαρή πάθηση στην όρασή του τον υποχρέωσε να σταματήσει να πετάει. Ζούσε στο Ίστον Χολ, απομονωμένος από τον υπόλοιπο κόσμο, ώσπου εμφανίστηκε στο κατώφλι του η διάσημη πιανίστα Ρέιτσελ Κάμπιον, ζητώντας απεγνωσμένα καταφύγιο. Η ξεχωριστή, ευαίσθητη ομορφιά της ξύπνησε μέσα του ξεχασμένες επιθυμίες, όλα όσα είχε απαρνηθεί κι εγκαταλείψει. Και, χωρίς να το σκεφτεί, την έκανε δική του μ' ένα παράφορο πάθος...

Η Ρέιτσελ ένιωθε επιτέλους γαλήνη, ίσως για πρώτη φορά στη ζωή της. Η υπέροχη νύχτα που της είχε χαρίσει ο Ορλάντο ήταν το πιο πολύτιμο δώρο: την είχε απελευθερώσει από τους εφιάλτες της! Μόνο που δε θα ήταν το ίδιο εύκολο να νικήσει τους δαίμονες που βασάνιζαν εκείνον...

Κυκλοφορεί στις 16 Νοεμβρίου

O έρωτας στήνει καρτέρι στους δρόμους της πόλης
που δεν κοιμάται ποτέ...

Νύχτες στη Νέα Υόρκη

ο ιστορίες αγάπης
προσκαλούν
να αξέχαστο ταξίδι
ν πιο λαμπερή
αλούπολη του κόσμου!

κλοφορεί στις 14 Οκτωβρίου

Τα **ΑΡΛΕΚΙΝ** γιορτάζουν 30 χρόνια μαζί σας και επιλέγουν για σας τις ωραιότερες ιστορίες τους

ΣΥΛΛΕΚΤΙΚΑ
∞ ΑΡΛΕΚΙΝ ∞

Συγγραφείς που αγαπήθηκαν – ιστορίες αγάπης που ξεχώρισαν σε νέα, συλλεκτική έκδοση!

Κάθε μήνα, ένας νέος τόμος με **δύο** ιστορίες.

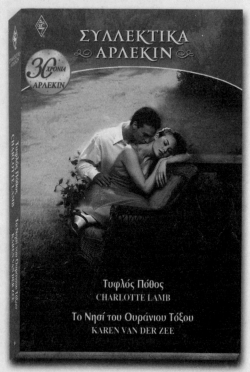

Κυκλοφορεί στις 27 Οκτωβρίου